●本書は二〇〇二年十二月、小社より単行本刊行されました。

初出誌
「小説現代」二〇〇一年十月号より二〇〇二年九月号まで連載

秋の陽が三人の男達の笠に降り注いでいた。

目次

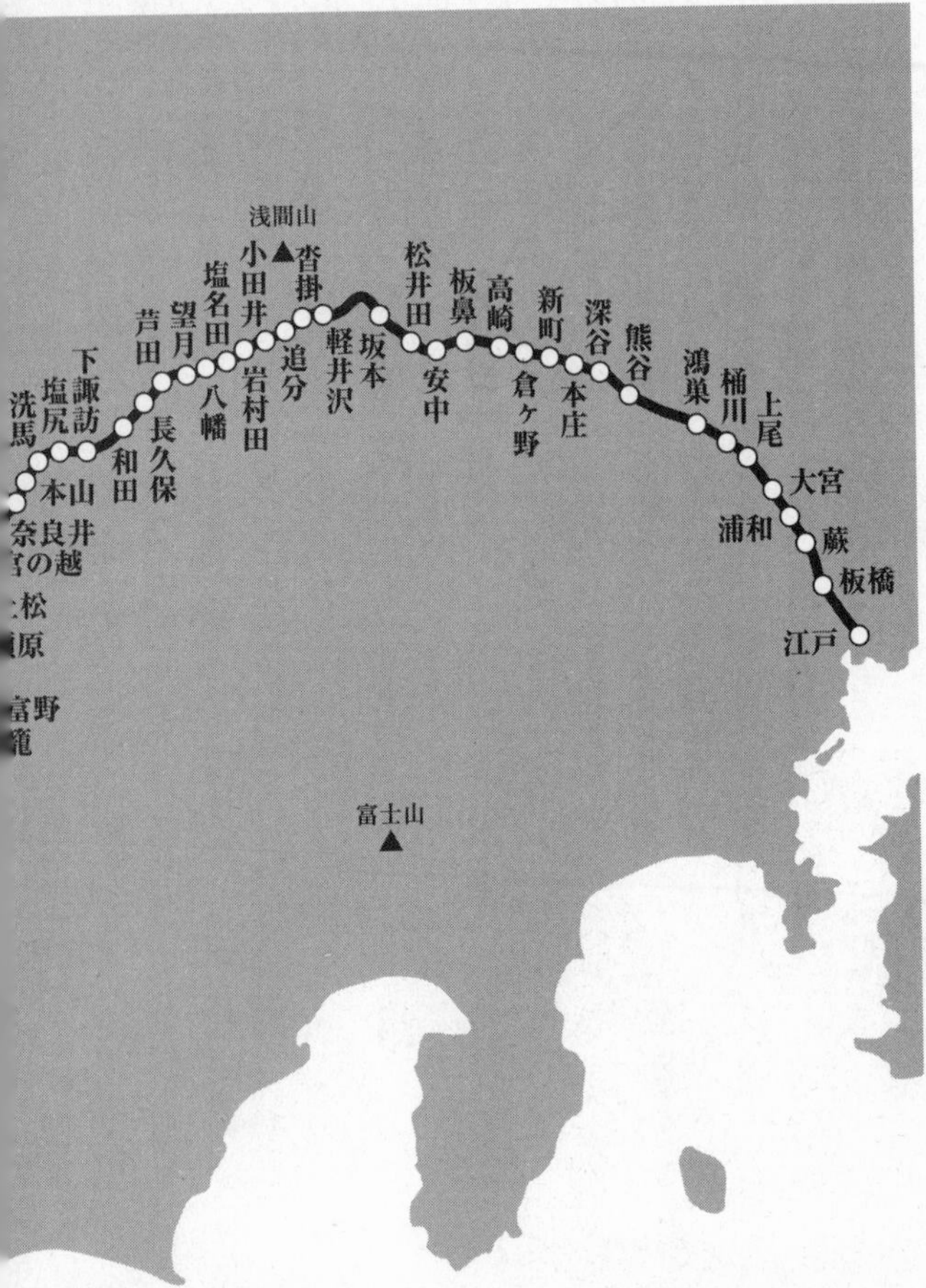

浅間山
富士山
江戸
板橋
蕨
浦和
大宮
上尾
桶川
鴻巣
熊谷
深谷
本庄
新町
倉ヶ野
高崎
板鼻
安中
松井田
坂本
軽井沢
沓掛
追分
小田井
岩村田
塩名田
八幡
望月
芦田
長久保
和田
下諏訪
塩尻
洗馬
本山
奈良井

中仙道六十九次

京都
大津
草津
守山
武佐
越知川
高宮
鳥居本
番場
醒ヶ井
柏原
今須
関ヶ原
垂井
赤坂
美江寺
合渡
加納
鵜沼
太田
伏見
御嶽
細久手
大久手
大井
中津川
落合
琵琶湖

はやぶさ新八御用旅

(二) 中仙道六十九次

第一話　京の夢

江戸町奉行、根岸肥前守鎮衛《ねぎしひぜんのかみやすもり》の家来で内与力《うちよりき》をつとめる隼新八郎《はやぶさしんぱちろう》が東海道五十三次を上って京へ来たのは、主命による御用旅であった。

根岸肥前守はかつて勘定奉行の時、天明《てんめい》八年（一七八八）八月、先に京の大火災で焼失した禁裡《きんり》仮の御所、内侍所《ないしどころ》及び二条城の普請《ふしん》の下命のために京へ上ったことがあった。

その折、昵懇《じっこん》になった関白太政大臣《かんぱくだじょうだいじん》、鷹司輔平《たかつかさすけひら》の用人、細川幸大夫《ほそかわこうだゆう》とは以来、交誼《こうぎ》を続けて来たのだが、その幸大夫が今年、喜寿を迎え、また、鷹司家のほうにも慶事があったので、隼新八郎に祝物を届けさせたものである。

で、新八郎は無事、京に到着、鷹司家で歓待されたのだが、その新八郎に対して江戸から急使が来た。

直ちに京都所司代、酒井讃岐守《さかいさぬきのかみ》の許《もと》に参上して、その指揮を仰ぐようにというものである。

深い事情はわからないものの、主君の命令に従って、新八郎は二条城の北側にある所司代屋敷へ出むいた。

それが二ヵ月余りになる京滞在を余儀なくされるとは、その時の新八郎には思いもよらぬことであった。

今、役目を終えて、京を発《た》つに当って新八郎の御用帳を少々、前へひき戻して事件のおよそを明らかにしておきたい。

何故《なぜ》ならば、その探索の故に、新八郎は中仙道《なかせんどう》を通って江戸へ帰らねばならなくなったからである。

ちなみに、新八郎が行く中仙道六十九次の中《うち》、京三条より草津宿《くさつしゆく》までは本来、東海道五十三次に含まれているのだが、ここは新八郎の歩いた通り、それらを含めて中仙道六十九次とすることを、あらかじめお断りしておく。

一

七月になったというのに京の町は炎暑の中にあった。

地の底から湧き上って来るのではないかと思われる温気《うんき》が天上から降り注ぐ熱射にぶつかって、あたりに充満しているような息苦しい夏を、新八郎は初めて体験した。

山に囲まれた盆地ならではの酷《きび》しさで、よくもこんなところに平安の昔から代々の王城が定められているものだと思う。

その点、徳川様のお膝下《ひざもと》の江戸は油照りが数日続けば、まず夕暮と共に風が出て、黒雲が天上を覆い尽すかと見る間に激しい雷鳴と滝を流すような豪雨が町中を洗い清めて、雨上りの夜空には天の川が白く浮び、人々に涼を与えてくれる。

「江戸へ帰りたい」

と、高瀬川《たかせがわ》の木橋の袂《たもと》で、新八郎はつくづく思っていた。

京の暑さにもうんざりしたが、一向に埒《らち》のあかない探索にも嫌気がさしていた。

第一、何故、自分がこの探索に加えられたのかわからない。

「根岸肥前守どのの懐刀《ふところがたな》と聞き及ぶ、隼新八郎どのに是非共、お力添えを頂きたい」

と、京都所司代、酒井讃岐守から丁重な言葉があって、配下の与力、高橋吉之助を引き合せられたあげく、彼の口から改めて探索の内容を打ちあけられて、新八郎はあっけにとられた。

「左様な探索には、到底、手前がお役に立つとは思えません。全く、畑違いでございいます」

辞退させてもらいたいと、新八郎はいったが、相手は歯牙《しが》にもかけない。

「何分にも、上においてお話し合いのすんで居られることでもござれば……」

万事は土屋《つちや》兵介《へいすけ》という者が承知しているからと、彼の下役にたらい廻しされた。

もし、新八郎が鷹司家の用人、細川幸大夫から禁裡の窮状を聞いていなかったら、そして、土屋兵介という人物に共感しなかったら、とっくに江戸へ早飛脚を立て、根岸肥前守に懇願して、この役目を解任してもらっていたに違いない。

「やはり、所司代の御用は左様なことでございましたか。それなれば、是非共、隼どのにお引き合せ致したい御方がございます」

細川幸大夫が一人合点して、なかば強引に新八郎と対面させた人物が、今、大雲院の土塀をまがって新八郎のほうへ歩いて来る。

髪形も着ているものも、公家侍《くげざむらい》の娘らしく装っているが、新八郎との初対面では女《にょう》官《かん》姿であった。

鷹司輔平にとっては遠縁に当る公卿《くぎょう》の姫で御所仕えの女官名は加賀、通称は雪路《ゆきじ》という。

「如何《いかが》でしたか」

あまり期待をしない声で新八郎が近づき、雪路は小さく首を振った。

やや面長の白い顔に汗が光っている。

御所仕えでは厚化粧らしいが、こうして新八郎と京の町を歩き廻る際は、ほんの薄化粧で、そのせいか色白の肌が少々、日に焼けて浅黒くなって来た。

新八郎のほうは東海道五十三次の旅で程よく焼けたのが、ここへ来て表か裏かわからないほどまっ黒になった。

「二軒茶屋まで参って休んではと存じますが、よろしおすか」

終りを町方風の京ことばでいって、雪路が歩き出し、新八郎はお供《とも》の公家侍のような顔で、その後に続いた。

二ヵ月に及ぶ滞在で京の東西南北の見当はつくようになったものの、やはり、江戸の町を歩くのとは勝手が違う。

四条の仮橋を渡ると正面に祇園社《ぎおんしや》の森がみえて来る。

「隼どのが初めて京へお上りやしたのは、申年《さるのとし》の大火の後とか、うかがいましたが……」

左手に日傘を持っているのに、さしもしないで、雪路がそっと話しかける。

最近になって漸《よう》やくうちとけたもののいいをするようになったものの、本当は御所仕えの女官だから、どうしても言葉のすみずみがぎこちない。

「左様です。天明八年申年、主君は春二月に上洛しましたが、手前は冬になってからで、しかし、まだあちこち焼野原のままでした」

「あれは正月三十日、火元はこの四条の橋の南、団栗橋《どんぐりばし》の東詰《ひがしづめ》にあたる辺りとか。風が強くて、火があっという間に鴨川を越えて燃え広がったんやと聞いて居ります」

「まだ、お小さかったでしょう」

「乳人《めのと》に抱かれて逃げたいうことだけ、ぼんやりとおぼえて居ります」

昼夜燃え続けて、禁裡の御所や二条城など大きな建物を始め、神社が三十七社、二百の寺に、千四百の町々、三万七千軒が焼失、六万五千余戸が罹災《りさい》するという、およそ京の五分の四が焼野原となる大火災であった。

「しかし、あの時は方広寺《ほうこうじ》の大仏殿は拝みましたよ」

母と共に参詣《さんけい》に行った思い出がある。

この大仏殿が今度はなかった。

寛政《かんせい》十年（一七九八）七月二日、雷が落ちて炎上したきり、まだ再建《さいこん》されていない。

「あの大仏さんは御難続きでなあ。太閤《たいこう》はんが建立《こんりゅう》しはった最初の時は開眼供養《かいげんくよう》のほん少し前に大地震で潰《つぶ》れてしまい、その後、秀頼《ひでより》はんがお建てやしたのも火事に遭《お》うて、それでも、もう一度とお気ばりやしたのに徳川はんから苦情が出て、結局、それが因《もと》で大坂は落城、秀頼はんも歿《なくな》らはった」

耳許で鈴がころげているような優しい声音だと新八郎は雪路の話を聞いていた。

徳川はんから苦情が出てと雪路がいったのは、有名な方広寺鐘銘事件のことだと新八郎にもわかる。

鐘銘に「国家安康」とあったのを、徳川家康の名を二つに分けて呪詛《じゆそ》したというういがかりをつけて、結局、豊臣家滅亡へ追い込んだという話は、幕臣である新八郎にしてみれば、あまり嬉《うれ》しくないが、おかげで徳川の世が今日も続いているのであってみれば、始祖、権現様の苦肉の策は功を奏したといえないこともない。

二軒茶屋は祇園社の南楼門と石の大鳥居との間に、左右に一軒ずつある茶店をいうもので、東側に中村屋、西側に柏屋、どちらも豆腐田楽が名物であった。

雪路が入って行ったのは柏屋のほうで、時分どきはとっくに過ぎているので、店の中は客がまばらである。

部屋のすみの、目立たない所に席を取って、新八郎が江戸言葉で注文をしようとするのを、雪路が制した。

「江戸のお人やいうことが、知れんほうがよろしおすえ……」

立って行って、女中に何やらいいつけて戻って来る。

「今日も、隼様に骨折り損のくたびれ儲《もう》けをさせましたなあ」

さしむかいに座って丁寧に頭を下げた。

「ほんまにすまんことやと思うてます」

新八郎が苦笑した。

「いや、すまないのはわたしのほうです。ただ、ついて歩くだけで何の役にも立っていない」

実際、連日のように、ここぞと思う寺院を訪ねて、近頃、禁裡より御寄進の仏具などがあったかと訊《き》いて廻る仕事を、もし、新八郎がやったとしたら、耳馴《な》れない江戸言葉を喋《しゃべ》る侍に僧侶は警戒するだけで、なんの返答も得られないに定《き》まっている。みるからに優雅な京女の雪路がやんわり訊く分には、坊さんもその気になって返事をするので、この途方もない探索は全く新八郎には向いていない。

「それにしても、京は寺の多いところですな。町のいたるところに寺がある」

「江戸は、そないなことはあらしまへんか」

「寺がないわけではござらぬが、大方は一つ所に固まっていますよ。第一、京の寺のように、どこもかしこも天子様にゆかりのあるということはありません」

天皇家の皇子《おうじ》が門跡《もんぜき》となって入寺していたり、天皇家の人々が本願主となって創建されたり、或いは親王家の御所が寺になり、開祖が親王であったり、勅命で建立された寺、代々、天皇家の人々の信仰が厚く、行幸啓《ぎょうこうけい》を欠かすことのない寺なぞ数え上げればきりがない。

「その中から、もしや、最近、禁裡より御寄進のあった寺はないかと訊《たず》ねるのは無謀に近い気がしますよ」

声をひそめて新八郎がいい、雪路がそっとあたりに目をくばり、更に小さな声でいった。

「でも、さし当って、それしか方法がみつからしまへんし」

女中が豆腐料理の膳を運んで来て、二人は口を閉じた。

みるからに上品な美女と武骨な侍の組み合せを、女中は好奇心に満ちた目で眺めて行く。

「毎度、御精進ですまんことですけど……」

雪路にうながされて、新八郎は箸《はし》を取った。

京は寺が多い分だけ精進料理の店が繁昌するのかと思う。

それにしても、新八郎が参加した探索は難儀なものであった。

そもそもは禁裡の賄料《まかないりよう》から始まった。

幕府は朝廷の諸経費を、山城《やましろ》、丹波《たんば》の中の三万石をもって賄うように定めていた。天皇家に入用のものは御所役人より代官小堀家の当主へその都度、請求があり、代官はそれをまとめて京都町奉行へ提出し、奉行より京都所司代を通じて江戸幕府へ上申されて支払いがなされる手順となっている。

ところが、ここ数年、俄《にわ》かに朝廷の入用が増え、到底、三万石では賄い切れない有様で、幕府はもっぱら御取替金という名目で補充を続けて来た。

たしかに諸事物価高ではあり、三万石ではきびしいのではないかという意見もあったのだが、幕府は京都所司代に命じて、朝廷の支出に関して内偵をさせた。

その結果、御所役人の中から聞き捨てならない噂が聞えて来た。

名前は定かではないが、かなり上の地位にいる御所役人が私腹をこやすために、不正を働いているというものである。

本来、御所役人というのは元和《げんな》六年（一六二〇）に二代将軍秀忠の娘、和子《まさこ》が後水《ごみずの》尾《お》天皇の女御《にょうご》として入内《じゅだい》した折、女御様御用人という格式で天野豊前守《ぶぜんのかみ》長信、高木伊《い》勢守《せのかみ》守久の二人が与力十騎、同心五十人を従えて禁裡付の武家となったのが最初であった。

正式役名はその後、禁裡付となり、千石級の旗本から選ばれて京へ赴任し、五、六年に一度、江戸へ参勤する決まりになっている。

役目は禁裡を守護するものだが、泰平の続く今では、むしろ、朝廷の経費を掌《つかさど》る仕事のほうが主となっている。

当然、配下の与力、同心も算勘に秀れた者が登用される。禁裡の御入費《ごにゅうひ》の取締りが務めであり、御所の支出の大半は彼らの手の内にあるといってよい。

しかも、この与力職は御譜代席だから、代々、世襲であった。

従って、事務に精通している分だけ不正を働く素地がある。

また、同じく禁裡付の下にある禁裡御賄《おまかない》頭《がしら》などという役目も同じく宮中の台所を司《つかさ》どるところから、かなりの支出を掌握している。

こちらもやり方次第では経費を着服出来なくもない。

とはいえ、証拠がなにもなかった。

一つには外からの査察の入りにくい世界であった。

もともとは幕府から派遣されたにもかかわらず、実際に事務を行っている役人層は世襲なので、長年の間に幕府との距離は遠くなり、御所役人という独特の権限が強くなっていた。

その上、彼らを監督する立場の京都所司代という職は、いわば大名の出世の道筋にあり、数年間、何事もなく勤め上げれば、若年寄、老中と順調に幕閣の中枢へのし上って行く例が多い。

してみれば在職中に御所役人と揉《も》め事《ごと》を起し、その筋から悪い評判でも立てられてはと、まず、触らぬ神にたたりなしで済ませたがる。

仮に御所役人の一部から、上役や同僚の不正に対して告発があったとしても、大方が握り潰されておしまいであった。

だが、ここへ来て幕府の様相が少し変って来た。

いってみれば、幕府の財政が逼迫《ひっぱく》し、これまで以上の倹約が強いられて、否応《いやおう》なしに支出の見直しが必要となった故である。

年々、増加を続けている朝廷の御取替金に勘定所の目が集まった。

幕府は改めて京都所司代と京都町奉行に対して、御所役人の不正摘発を指示した。

隼新八郎が上洛したのは、まさにそうした時期だったのである。

殆《ほと》んど無言のまま昼餉《ひるげ》をすませ、新八郎が勘定を払って柏屋を出ると、雪路が訊いた。

「隼様は、これからどうなされます」

「雪路様をお送りしてから思案します」

鷹司家へ入って着替えをすませ、今日の中《うち》に雪路が御所へ戻るのは承知していた。

本来は禁裡に仕える女官なのであった。しばしば口実を設けて里へ下《さが》っているのは、鷹司輔平が願い出て便宜を計ってくれているからで、だからといって、そう長いこと宮仕えをおろそかには出来ない。

「なるべく近い中に、また、下って参ります。その時はよろしゅう……」

鷹司家の通用口の前で雪路が会釈をし、新八郎は雪路を見送り、そのまま踵《きびす》を返した。

細川幸大夫は、その必要は全くないと再三いってくれるが、今度の探索に加わるようになってから、新八郎はなるべく鷹司家へ出入りするのを遠慮していた。

万一、迷惑がかかってはと配慮したもので、今の所、上堀川町にある団子屋の二階に厄介《やっかい》になっている。

ここは女主人であった。

名を小篠《こしの》といい、五歳になる小太郎《こたろう》という悴《せがれ》と暮している。後家《ごけ》であった。

実をいうと、この家を世話してくれたのは京都町奉行所の同心、土屋兵介で、小篠の兄に当る。

新八郎が酒井讃岐守から御所役人の不正探索を依頼されて、配下の高橋吉之助から紹介されたのが土屋兵介であった。

以来、京に不馴れな新八郎は、万事を土屋兵介に頼っている。

鷹司家を出て、町屋に移りたいと相談した時に、

「身内の家で恐縮だが、お気に入って頂ければ……」

と連れて行かれたのが上堀川町の小篠の家であった。

川べりの小ぎれいなしもた屋で、表の格子戸《こうしど》の脇の土間で団子《だんご》を焼いて売っている。女手一つの小商いのようであった。

小篠は二十七ということだったが、小柄なせいか若く見える。小太郎は新八郎をみて少しはにかんだが、母親の躾《しつけ》がよいのか、挨拶《あいさつ》は五歳の子のようではなかった。

京の家には多い、奥行きのある間取りで、新八郎のためには六畳と四畳半の部屋が提供された。母子の住む手前の部屋との間には、猫の額ほどだが坪庭があって、昼はあかり取りの役目をしている。

「これは手前にはもったいないような部屋ですな」

部屋の縁先から堀川がのぞめるのも風情がある。

早速、新八郎は江戸から供としてついて来た治助《じすけ》と一緒にここへ移った。

治助にしても、やはり鷹司家での暮しは窮屈だったとみえて、

「ここらあたりは商家の中なのに閑静で、まことによいお住居《すまい》でございますな」

と感心している。

新八郎主従は忽《たちま》ち、この家に馴染んだ。

小篠は口数は少いが、きびきびした働き者で、団子を売りながら、近所から頼まれた仕立物などもして、暮しをたてているらしい。

「妹一人、甥《おい》一人ぐらい充分、養えるからと、いくらいっても承知しない。よくよく、わたしが甲斐性《かいしょう》なしに見えるのでしょうな」

と土屋兵介は冗談らしくいったが、一緒に暮してみて、新八郎は小篠の気持がわかった。

兵介はまだ独り者だが、武士の家のこと早晩、妻帯しなければならない。その時、子連れの妹が、兄の邪魔になってはとの配慮からで、人を頼らず小太郎を育てて行こうと決心しているのが、言葉のはしばしからうかがわれる。

新八郎は毎日のように出歩いているが、治助を供にすることはないので、治助はいつの間にか団子屋を手伝っていた。

今も、新八郎が表まで来ると、小太郎が神妙に店番をして居り、その隣で治助が手《て》

拭《ぬぐい》の鉢巻に縞《しま》の前掛という恰好《かっこう》で団子を焼いている。

「どうだ。団子はよく売れるか」

新八郎が声をかけると、小太郎が、

「今日の分は、治助さんが焼いているので、もうおしまい」

と胸を張っている。

「お帰りなさいまし、土屋様がお待ちになっていらっしゃいます」

治助にいわれて土間へ入ると、奥から小篠が戻って来るところであった。

「お戻りやす、只今《ただいま》、お茶を」

と笑顔をむけられて、新八郎は、

「土屋どのは、長くお待ちか」

と訊いた。

「いいえ、ほん今しがた……」

返事をしながら手早く水を汲み、手拭をしぼって渡す。

「かたじけない」

ざっと顔と首筋を拭き、袴《はかま》の裾《すそ》を払って新八郎は奥へ行った。

土屋兵介は部屋へは入らず、坪庭の所で団扇《うちわ》を使っていた。新八郎の姿を見て、立ち上る。

「今日も加賀様のお供でしたか」

気の毒そうにいった。

加賀様とは雪路の女官名で、

「たしかに、御所の寄進料を調べるというのは、加賀様らしいお智恵ですが、容易なことではございますまい」

新八郎の後から部屋へ入りながら呟《つぶや》く。

麻の座布団を兵介に勧め、自分も座についたところへ、小篠が冷えた茶と焼団子を運んで来た。

「いつも、商売物で気が利かんな」

と兵介は妹を叱ったが、新八郎は、この家の団子が気に入っていた。僅《わず》かに甘みを感じさせる上方《かみがた》の溜《たま》り醬油《じようゆ》の味が、馴れるとなかなか旨《うま》い。それを知っている小篠は時折、新八郎の茶請《ちやう》けに焼き立ての熱いのを持って来てくれる。

小篠が部屋を出て行ってから、新八郎は兵介に笑った。

「京は寺が多いな。おまけにその大方の寺歴が古い。由緒のある御寺ばかりだ。朝廷とのかかわり合いも深い。あれでは御所からの御寄進料が増えて当り前だと思ったよ」

「御所が寺々から御寄進を乞われるようになったのは、一つには中年の大火のせいなのですよ。あの折、洛中の多くの寺が焼け、どこもその修復に苦労して居ります」

大火で困窮したのは寺社ばかりではないと兵介はいった。

「どうもあれ以来、京全体が落ち込んだ感じなのです」

町家は少しずつ復興したものの、町の景気がどうもよくない。

「西陣のようなところでも、なかなか大火以前に戻らないと商人が嘆いて居るのです」

なんというか、世の中が衰運へ向っているのではないかと考えている上方商人が少くない。

「大商人がそのようでは、到底、寺への寄進どころではない。坊さんのほうも困り果てて、最後は御所へおすがりするのです」

天皇、上皇、女院《にょういん》の方々にしてみれば、先祖からゆかりの深い寺々のこと、僅かでも救いの手をさしのべてやりたいとお考えになるものだと、兵介は恐懼《きょうく》しながら話した。

「雪路どのがいわれたのだが、もし、御所役人が不正を働くとすれば、一番、容易なのは御所の支出からだが、その場合、供御《くご》の料、つまりやんごとなき方々の召し上るものなどの支出は年々、決っているし、大した金額ではない。御召料や御調度料にしても天皇《みかど》も上皇様も極めて御質素で、滅多に新調もなさらない。事実、御自分達は下々の者以上の倹約をなさりながら、少しでも困っている寺々へ御寄進をなさりたいと仰せられるそうだ」

女官としてお仕えしていて、一天万乗の君に、このようなつましいお暮しをおさせしてよいものかと涙が流れると、雪路は新八郎に訴えていた。

「幕府の方々にお見せ申したいくらいでございます。貧乏公卿の日常より、もっと御質素で、御召物の袖口《そでぐち》がすり切れても、まだこれでよいと仰せになります。御調度なぞも古びたものを大切にお使い遊ばして……」

禁裡警固の役人のほうが上等の衣服を身につけ、贅沢《ぜいたく》な食事をしていると雪路が腹立たしそうに告げたのを、新八郎はあっけにとられて聞いたものであった。

「それは加賀様のおっしゃる通りですよ。殁った義弟も、不正が出来るのは寄進料に違いないといっていました」

兵介の言葉を、新八郎が聞きとがめた。

「義弟といわれると……」

「小篠の夫です。今までお話しませんでしたが、小篠の夫は禁裡付同心で伏木《ふせぎ》要一郎《よういちろう》と申しました」

それは新八郎にとって初耳であった。

「その伏木どのが御所役人の不正のことをいって居られたのですか」

「どうもおかしいと何度か手前に打ちあけたことがあるのです。義弟は正直者で正義漢でしたから、ひそかに探《さぐ》っていた節もあります。しかし、誰にも話さぬ中に死にました」

「すると、御所から寺に寄進するために商人にいってあつらえた品物の値に不審があるといわれたのは、その伏木どののだったのですか」

兵介が唇を嚙《か》んだ。

「伏木は二つの帳面がある筈《はず》だと申していました。でなければ、注文を受けた商人のほうにからくりがあると……」

御所役人と商人が結託しなければ不正は成立しないが、

「あらかじめ、注文した品の本当の値よりも高い値を商人がつけるのですな。御所役人は、その通りを支払って、後に差額を私《わたくし》する。無論、商人にも決まりより多い儲けが入るのでしょう」

その手口は雪路からも聞いていた。

「証拠があれば……」

兵介が口惜《くや》しそうにいった。

「御所に出入りする商人を調べては……」

「同じ穴のむじなです。口を割るわけがありません。証拠を突きつけられて、はじめておそれ入るという……」

その証拠探しに、雪路はこれという寺を訪ねて、御所からの寄進の品がないかと聞いている。そして、それは今のところ、全くの徒労に終っていた。

陽が西に傾き、夕風が出て来た。

「いつまでも暑いと思っていましたが、やはり七月、だんだんに夜が過しやすくなりましょう」

奉行所の近くにある組屋敷へ帰る兵介が腰を上げ、それを待っていたように、小篠が新八郎に湯あみを勧めに来た。

この家には形ばかりだが風呂がある。

小太郎に声をかけると、すぐにとんで来る。

早く帰って湯あみをする時は、小太郎と一緒に入るというのが、いつの間にか習慣になっている。

夕餉の膳は、新八郎と治助と小篠母子と四人揃って囲むことが多かった。そのほうが賑《にぎ》やかでよいと新八郎がいい出してのことである。

飯の間に小太郎が話すのを聞いていると、今夜は近所の家に子供達が集って明日の七夕の用意をするらしい。

江戸と同じく笹の枝に願い事を書いた短冊《たんざく》や色紙を結びつけるのだが、京では梶《かじ》の葉にも同じように願文《がんもん》や歌などを書きつけて枝に下げるといい、その他に願いの糸とか小提灯《こぢょうちん》とか、江戸とは異った飾りもあるらしい。

治助は珍らしがって、小太郎のお供旁々《かたがた》、見物について行くという。

夕餉がすみ、治助と小太郎が出かけてから新八郎は自分の部屋へ戻った。

縁側に立って夜空を見上げると白く天の川が流れている。

江戸の町奉行所の奥でも、根岸肥前守が短冊などをお書きになり、お鯉《こい》が笹の枝の飾りつけなどをはじめているかも知れないと思う。

こんな遅々とした探索で、いったい、いつになったら江戸へ帰れるのかと気が重かった。

土屋兵介の話では、御所役人の不正を調べるために働いている奉行所の者は兵介を含めて何人でもないという。

「なにしろ、手が足りないのです。我々、同心の中には御所役人に探りを入れるような仕事は町奉行所の本来の任務ではないと申す者も少くありませんので……」

たしかに、京都町奉行には東と西に各々、与力二十騎と同心五十人がついている。

江戸町奉行は南北の奉行所に与力二十五騎、同心百二十人が配属されているのと比較して人数が少い。

もっとも、江戸と京都では人口についても都市の繁雑ぶりからしても比較にならないが、京都町奉行の場合、職務が複雑すぎた。

山城《やましろ》、大和《やまと》、近江《おうみ》、丹波《たんば》の勘定奉行を兼ね、五畿内の寺社、御朱印地、公家領の寺社奉行もつとめる、その上で京都の市政、訴訟を掌《つかさど》って、しかも京都所司代が江戸へ参府の際はその留守中、代理の役もつとめるわけで、遠国《おんごく》奉行の中でも最重職であった。

その職務の広さからして、与力、同心はどちらかといえば事務方のほうが多い。

訴訟はともかく、事件を探索するなどという役目はかなり手薄で、その上、江戸から余分な仕事を押しつけられるのは迷惑というのが本音に違いない。

更にいえば、町奉行は天下りだが、与力、同心は江戸と同じく世襲で、町奉行の家来というわけではなかった。

いくら奉行が笛を吹いても、その手足になるべき配下が動かなければ何も出来はしない。

京都所司代が在京中の隼新八郎の手を借りたいと頭を下げたのも、つまりはそうした事情によるものであった。

土屋兵介の立場もつらいのだろうなと新八郎が同情した時、廊下に足音がして小篠が声をかけた。

夜具を敷きに来たのだと思い、新八郎は縁側に立ったまま、返事をした。

いつも、新八郎の布団を敷くのは治助ときまっていた。だが、今夜は治助が七夕飾りを見物に行っていて、小篠が気をきかせたのかと考えたのだったが、小篠は小盆に茶の支度をしたのを捧げるようにして部屋へ入った。

で、新八郎は、

「風が涼しくなった。土屋どのもいわれたが、京も漸《ようや》く秋の到来であろうか」

と声をかけると、小篠はそれにうなずいて、

「あの、申しわけございませぬが、少々、お話申してもよろしゅうございましょうか」

と改まった口調で切り出した。

なんのことかわからないままに、新八郎は文机《ふづくえ》の前にすわり、小篠のほうは新八郎

へ向って少しばかり膝を進めた。

「実は、今日、兄がこちらへ参じましたのは、私に話があったからなのでございます」

小篠がひどく緊張しているのに新八郎は気がついた。膝においた手を固く握りしめ、肩先が僅かながら慄《ふる》えている。

「土屋どのの話とは、どのような……」

穏やかに新八郎がうながし、小篠が顔を上げた。

「兄は貴方《あなた》様に何も申さず、戻りましたのでございましょうか」

「今日、身共《みども》が耳に致したことといえば、小篠どのの殁られたおつれあいが御所役人、禁裡付の同心を勤めて居られたというぐらいだが……」

「では申し上げます。禁裡付与力職の押田内匠《おしだたくみ》というお方が、兄に、私を奉公に出さぬかというて参ったのでございます」

「押田内匠……」

その名前は聞いていた。

御所役人の中でも羽ぶりがよく、上役の信任が厚いが、暮しむきはかなり派手だと新八郎に教えたのは雪路であった。

「禁裡付与力と申すのは、六十石高、禁裡御用のすべてを記帳し、唐門、日門《ひのかど》、御所の三門の御番をし、禁裡の御入費の取締りをすると聞いて居ります」

六十石高にしては不釣合な噂が多いといった。

「遊び好き、骨董《こっとう》好きとか。御当人は奥様の御実家が裕福で持参金が多かったと冗談らしくいわれているそうでございます」

その時の新八郎は、

「ただ評判だけでは疑うわけに参らぬでしょう」

と返事をした。

「押田どのが、貴方を奉公に出せとは、だしぬけですな」

「押田内匠は、歿りました夫の上司でございました」

「ほう」

「兄は一存で断って来たと申しました。奉公に出る必要はないと……」

「それはそうでしょう。小太郎どのも居られることではあるし……」

「私、奉公に参ろうかと存じます」

「なんですと……」

驚いて新八郎は小篠の顔を見た。

「何故です」

「殁りました夫は、押田を探っていたようでございます」

小篠の表情が思いつめていた。

「私には、くわしいことは何も申しませんでした。ただ、何気ない言葉のはしばしに押田の名が出て……」

「探るとは、押田内匠が不正を働いているということですか」

「あのお方の立場なら、如何《いか》ようにも出来ましょう。御所の御入費をすべて取りしきっているとのことでございますし……」

「しかし、それだけでは……」

「何人かの商人と親しくして居りまして、島原なぞにも遊んで居るとやら……」

「証拠もなしに、左様なことを口にされては……」

「夫は証拠を入手しかけていたようでございます。そのために、押田に殺されました」

流石《さすが》に新八郎は絶句した。

小篠は青ざめていたが、別に昂《たか》ぶっている様子はない。

「左様なことは、土屋どのもいわれなかったが……」

「証拠はございません。夫は酒に酔い、鴨川の岸辺で酔いをさまして帰ると同輩の方に申したそうでございます。翌朝、夫は川下で水死体となって居りました、酔って川へ落ちたと……押田も、同輩の方々も……」

ふっと声が途切れ、小篠は唇を噛みしめた。

「夫はあまり御酒《ごしゅ》を頂きません。その夜、夫は同輩の中村芳之助《よしのすけ》と一緒に押田の招きで酒席を共にしたとのことでございます。場所は四条河原町、その店の女主人は世間の噂では押田の妾とか。押田は私の夫を嫌って居りました。何故、押田が夫を酒席に招いたのか、それも不思議でございます」

「同輩の……中村芳之助と申す仁《じん》は、なんといっているのですか」

「中村は、押田の腰巾着でございます、押田の手先となって夫を殺害することはあっても、真実を申す筈はございません」

夜風が吹き込み、行燈《あんどん》の火が揺れたのをきっかけに、新八郎は縁側の障子を閉めた。

今までは男と女二人きりなのを考えて、故意に開けておいたものである。

「それにしても……いや、それなればと申すべきでしょう。それなればば、押田へ奉公するのは、身共の考えるところ、むしろ危険ではないかと思えます」

もしも、小篠の推量通りなら、何故、押田が小篠を奉公に出せといって来たのかおよそ想像が出来る。

「押田は殺られた伏木どのが貴方に何事か告げていないか、探るのが目的でしょう。場合によっては伏木どのの二の舞になる」

小篠がかすかに微笑した。

「覚悟は出来て居ります」

「まさか、伏木どのの敵討《かたきうち》を……」

「夫に代って、押田の不正の証拠を摑《つか》みたいと存じます。それが、無念に死んだ夫に、私の出来るたった一つの供養だと存じます」

「それはいけない」

思わず新八郎は叫んだ。

「土屋どのも、決して許されはしない筈だ」

遠慮を忘れて、小篠の肩に手をかけた。

「第一、貴方に万一のことがあったら、小太郎はどうなる。僅か五つの子が、父を失い、その上、母を失うことがあれば、どれほど歎き悲しむか。殺られた伏木どのとて決してお喜びにはなるまい」

返事のない小篠の肩をゆすぶった。

「仮に身共が伏木どのであったら、断じて、貴方にそのようなことはさせない」

ほろりと一しずく、小篠の膝に涙が落ちた。

それでも、小篠の表情は石のように変っていない。

小太郎の声が聞えた。

治助が、

「只今、戻りました」

といっている。新八郎は腰を浮かした。

二

朝餉《あさげ》の膳についた時、新八郎は少々、寝不足の顔をしていた。

昨夜、小篠がとんでもない決意を打ちあけたせいである。

おそらく、小篠自身も眠れなかったのではないかと推量していたのだが、案に相違して小篠の顔は晴れ晴れとしていた。一人息子の小太郎と話す声も常とは変らないし、治助に京の七夕と江戸のそれとは、どこが異るのかと訊《き》いている表情は小娘のようですらある。

いったい、小篠は何を考えているのかと判断に苦しみながら飯をすませ、治助と小太郎が店のほうへ出て行くのを見てから、

「昨夜の話だが……」

と切り出すと、

「女の浅智恵でつまらん話をお耳に入れて、えらい、すまんことでございます。どうか、御放念下さいますよう……」

笑顔さえ浮べて膳を下げて行った。

すると、押田内匠という禁裡付与力の求めに応じて、その屋敷へ奉公に入り、亡夫の仇《あだ》を討つという企《たくら》みは、断念したのかとも思う。

昨夜、新八郎は言葉を尽して小篠にその無謀さをいさめたし、それに対してまともな返事をしなかった小篠が一夜思案して、やはり新八郎の忠告に従う気になったのかと考えた。

それでも、新八郎は終日、小篠の家を出なかった。

小篠の働いている姿の見える居間に陣取って、京の寺々の中、とりわけ朝廷と縁の深いところを鷹司家の用人、細川幸大夫が書き出してくれたのを眺めて、京の地図と

照らし合わせたりしている。

実をいうと、今日はその書き抜きの中から、鹿ヶ谷《ししがたに》と白川村天満宮、更には円通寺を廻ってみる心算《つもり》であった。

そう毎回、雪路《ゆきじ》につき合ってもらうわけにも行かないし、御所づとめの女の足では、なかなか遠出が難かしい。

新八郎一人が訪ねて行って、江戸から来た武士が参詣《さんけい》に来て、こちらには最近、朝廷から立派な御寄進の品があったそうだが、拝ませてもらえないかと、鎌《かま》をかけて坊さんに訊くぐらいのことなら、別にあやしまれもしないだろうと思う。

実際、これまでにも雪路が御所から下って来ることが出来ない間は、もっぱら、その手を使って社寺を歩き廻り、探索を続けて来た。

鹿ヶ谷は大文字山《だいもんじやま》の東の奥の峯《みね》、如意《にょい》ヶ岳《たけ》の一部で、ここに円成山霊鑑寺《えんじょうざんれいかんじ》の名刹《めいさつ》がある。後水尾院の皇女、多利宮《たりのみや》が創建であり、貞享《じょうきょう》四年（一六八七）に後西院《ごさいいん》の殿《との》屋《や》をここに移したこともあり、朝廷とは縁が深い。

天皇家から御寄進があっても不思議ではなかった。

また、白川村天満宮の隣にある照高院《しょうこういん》は聖護院《しょうごいん》門跡の隠居所だが、寛文《かんぶん》元年（一六六一）の一月、皇居が炎上した際、後西天皇が暫《しばら》く行宮《あんぐう》として行幸《みゆき》されていたことがあり、雪輪《ゆきのわ》御所と呼ばれている。

更に、岩倉幡枝《はたえだ》の円通寺は、後水尾院の祈願所であった寺である。

新八郎がそれらの寺の所在地を地図の上で確かめていると、小篠が茶を持って入っ
て来た。

「今日は、どちらのお寺さんにお出かけなさいますの」

いつもと同じような声で訊かれて、新八郎は地図から顔を上げた。

新八郎が御所役人の不正の証拠を探るために、近頃、朝廷から寄進のあった寺を探
し歩いているのを、小篠は知っている。

「ただ、あてもなく歩き廻るのも智恵がないと考えて、思案している所だが……」

「加賀様は御一緒されませんのか」

「あちらは、昨日、御所へお戻りになったのだよ」

亡夫、伏木要一郎が禁裡付同心だったので、小篠もそのあたりの知識はある。

「隼様お一人やったら、難儀なことでございますなあ」

そっと茶を勧めた。

「加賀様のお話では、なるべく後水尾院様ゆかりの寺を調べたほうがよかろうとのこ
とでね。それというのも、後水尾院様は徳川様にとって格別の御方なので、そういっ

た御寺への御寄進となると、幕府のほうもうるさいことはいわないといったところがあるそうなのだ」

後水尾院の中宮《ちゅうぐう》は、二代将軍秀忠の娘、和子《まさこ》であった。

歴代の天皇の中、徳川家に縁が深い。後西天皇はその後水尾院の第八皇子に当る。

「けど、もし、どこぞのお寺さんに朝廷《おかみ》からの御寄進の品があったとして、それを、どないしてお調べやすの」

不思議そうな小篠に、新八郎は苦笑した。

「これは加賀様も、あなたの兄上の土屋兵介どのも同意見なのだが、まず、その御寄進の品を然《しか》るべき人にみせて鑑定をさせる。おおよそ、どれほどの値か判断させて、次にそれを調進した店へ当って、いくらで納めたかを調べるのだそうだ。その両者に大きな差があれば、そこから御所の支払いの記録に査察が入るということなのだが……」

心もとなそうな新八郎の説明に小篠が軽く首をかしげた。

「そないなことで、あんじょう行きますやろか」

「正直の所、身共にも見当がつかない。なにしろ、身共が江戸でかかわり合って来た事件と、このたびのとは、相手が違いすぎるのだ」

御所役人という、本来、幕府の家臣でありながら、長年、御所に仕えて独自の権力を持ってしまった集団が相手であった。

何かといえば、御所という聖域を持ち出して来て、捜査が入るのを拒否する。

小太郎が店との間の襖《ふすま》を開けて入って来た。

団子《だんご》の焼ける匂いがするのは、今日も治助が、もっぱら団子屋をやっているせいである。

「小太郎、隼様は御仕事がおありなのですから、お邪魔をしてはあきまへんえ」

母親の言葉に情なさそうな表情を新八郎に向ける。

「どうした。かまわないからいいなさい。わたしに出来ることなら、何でも手伝うが……」

小太郎の手に短冊《たんざく》があるのを見て、新八郎はうながした。おそらく、七夕の笹につける短冊について、新八郎に助力を求めに来たと気がついている。果して、小太郎は母親に遠慮しながらも、新八郎の前へ来た。

「これに、お願いごとを書くんやけど……」

「いいとも……」

新八郎は机の上の硯箱《すずりばこ》の蓋《ふた》を取り、水滴の水を入れた。墨を取って磨《す》りはじめる。

それを見て、小篠は、

「長いことはあきまへんえ」

と我が子に念を押して、部屋を出て行った。

小太郎が安心したように机の前へすわり直す。

「小太郎の願いごとはなんだ。いってごらん」

新八郎に訊かれて、五つの少年は顔を赤くした。

「笑わんか」

「笑う……わたしがか」

「そう」

「笑わないさ。いってみろ」

小太郎が下をむき、それから思い切ったように顔を上げた。

「はやぶさの小父《おじ》さんが、いつまでも居て欲しいんや」

「なんだと……」

「そやから、ずっとこの家にいて欲しい」

つい、笑い出して、新八郎はその笑いをひっこめた。

少年が泣きそうな目をしたからである。

「すまん。あんまり、だしぬけなんで驚いたんだ」

「ほんまに、いてくれはらへんやろか、ずっとずっと、この家にいてもらいたいんや」

「そうだなあ」

墨を磨る手が重くなった。

「この家、好かんか」

「いや、そんなことはない。大好きだ」

小太郎が体中で叫んだ。

「そやったらいて欲しい。お願いや。お星さん、たのんます。小父さんがずっといてくれはるように……お頼《たの》ん申します」

立ち上って、踊るような恰好《かっこう》で出て行く小太郎を見送って、新八郎は肩の力を抜いた。

あの子はそんなにも自分になついてしまったのかと思う。

父を失って、母と二人暮しの日常の中に、新八郎と治助が加わって二ヵ月余、少年は新八郎に亡き父親の面影を重ねているのだろうかと不愍《ふびん》であった。

とはいえ、江戸町奉行、根岸肥前守鎮衛に仕える隼新八郎が永遠に京に滞在するわけには行かない。

江戸には妻の郁江《いくえ》がいるし、その他、新八郎にとってなつかしい人々が新八郎の帰りを待っている。

少くとも、今、新八郎が探索している事件が片付けば、早晩、京を発って江戸へ戻ることは間違いないのであった。

が、五歳の子にそれを告げるのは、あまりに酷であった。新八郎の立場が理解出来る年齢ではない。

机の上の短冊を眺めて、新八郎は途方に暮れた。

三

二日ばかり、新八郎は口実を設けて外出をしなかった。

小篠の様子が気がかりだったからだが、見る限り、日常に変化はなかった。治助に冗談をいって笑ったりしているかと思うと、せっせと団子をこねていたり、縫物を広げたりと全くいつも通りの暮し方をしている。

やはり、押田内匠の屋敷へ奉公に上るといったのは、あの時、感情にまかせて口走ったものかと新八郎は考えていた。

たしかに、小篠の夫の伏木要一郎が、上司の不正を探っていて、それ故に押田の企みによって殺害されたという小篠の推定が事実なら、妻として夫の敵を討ちたいというのも本心に違いないが、証拠もないことではあり、それ以上に女の力で何が出来るとも思えない。

心を鎮めて思案すれば、幼い子を残して敵の屋敷へ乗り込む無謀さもわかる。新八郎の言葉に納得して断念してくれたと判断するのが正しいようであった。

で、三日目、治助にもし小篠が外出するならくれぐれも注意し、常と変った様子があったら尾行するよう指示して上堀川町の家を出た。

目的は鹿ヶ谷だが、行きがけに二条城わきの京都町奉行所同心の組屋敷の中にある土屋兵介宅を訪ねた。が、すでに出仕しているとのことであった。

出来ることなら、兵介にだけは、小篠が押田内匠の求めに応じて奉公に行く気があるのを告げておきたかったが、奉行所へ顔を出すのは気が重い。

迷いながら、結局、新八郎はそのまま鹿ヶ谷へ向った。

鹿ヶ谷はその昔、俊寛僧都《しゅんかんそうず》、平《たいらの》康頼《やすより》、藤原《ふじわらの》成親《なりちか》など反平家の人々が、ここに集まって平家打倒の密議をしたところとして有名だが、その俊寛の別荘のあった場所は今、談合谷《だんごうだに》と呼ばれている。

中京《なかぎょう》あたりから、けっこう道のりもあるし、東山の一部に入って行くので、新八郎には大したことではないが、ここへ雪路を伴って行くのは、いささか厄介に思われる。

黒谷《くろだに》の近くで一度、里人に道を訊《たず》ね、その後はたいして迷いもせずに鹿ヶ谷に入った。

霊鑑寺は山路にかかる手前、如意ヶ岳の麓《ふもと》にあった。

登り坂の参道を上って行き、新八郎が思わず足を止めたのは本堂の建物がまだ新しかったからである。

庭には椿の木が多いが、この季節、花は無論、咲いてはいない。

尼さんが歩いて来たので訊ねてみると、この本堂は享和《きょうわ》三年（一八〇三）に十一代家斉《いえなり》の寄進、つまり、只今の将軍が命を下して再建させたもので、その際、諸大名からもさまざまの寄進があったが、朝廷からは格別のことはなかったという。

「当山は尼門跡にて御所人形がたんと納めてございますよって、御参詣の後にごらんなさいませ」

などといわれ、新八郎は神妙に本堂に合掌し、早々に参道を戻った。

次に白川村の照高院に寄ったが、ここも何の収穫もなく、汗まみれになって上堀川町に戻って来ると治助が年輩の女と立ち話をしている。

新八郎の顔を見ると救われたように頭を下げた。

「どうも、よくわからないのでございますが、こちらさんが小篠さんに頼まれて来たといいなさるので……」

はっとして新八郎は五十そこそこだろう、如何《いか》にも水仕事に馴《な》れたような節くれ立った手の女に向い合った。

「わたしはこの家に厄介になっている隼新八郎と申す者だが……」

女は丁寧に腰をかがめた。

「うちはさくと申します。以前、こちらさんに奉公に上っていましたんやけど、お頼まれ申して、また、参じました」

「小篠が何を頼んだのだ」

「へえ、当分、こちらさんのお世話をするようにといわはりました」

「小篠はどこへ行ったんだ」

「さあ、うちには何にも……」

不安そうに立っている治助に訊いた。

「小篠は出かけたのか」

「近くの知り合いに鮎《あゆ》をもらって来るといいなさいまして……」

「出かけたのは、いつだ」

「ほんの今しがたで、まだ半刻《はんとき》(一時間)にもなりませんが……」

「着るものなどは着替えて出たのか」

「いえ、普段着のままで……」

「荷物は……」

「なんにもお持ちになりません」

新八郎がおさくに問うた。

「小篠があんたにここへ手伝いに来てくれと頼んだのはいつだ」

「三日前の夕方にお出《い》でやして……うちのほうもいろいろ都合がありますよってに、今日からならと申しましたら、それでええいうことで……」

しまった、と新八郎は内心で叫んでいた。

小篠はやはり最初に新八郎に打ちあけたように押田内匠の屋敷へ奉公に行く決心だったのだと悟った。

自分がいなくなって、新八郎主従が不自由をしないように、あらかじめ、昔の奉公人を訪ねて、当分、家事を頼んでおいた。その女が今日来るとわかっていて、さりげなくこの家を出て行ったに違いない。

新八郎は家を出て、堀川沿いを走った。

まだ、そう遠くまで行っていないのではないかと足にまかせて歩き廻ったが、女の足でも半刻前に出かけた者の後を追うのは難かしい。

押田内匠の屋敷はおそらく禁裡に近いところにある禁裡付与力、同心達の組屋敷の中に違いないが、そこへ行く道は幾通りもある。京の道に不馴れな新八郎には、この追跡は成功する可能性が薄かった。

それでも、新八郎はともかく御所と鴨川の間、寺町通りに近い御所役人の組屋敷まで行ってみた。

この周辺はすべてが公卿の屋敷で、それは平安の昔から禁裡や仙洞《せんとう》御所、女院御所など、さまざまの建物を取り巻くように広がっている。

通行人に訊ねると、押田内匠の屋敷はすぐにわかった。低い柴垣を廻《めぐ》らした一角で、外から眺めた限りでは、ごく普通の武家屋敷の一つであった。

流石《さすが》に案内を乞うのはためらわれて、新八郎はその屋敷のまわりを歩き、ひょっとして小篠が自分よりも遅れて、ここへたどりつくこともあろうかと、僅《わず》かな僥倖《ぎょうこう》をたのみにたたずんだりもしたが、時刻柄、禁裡から退出して来る御所役人が多い。

人々から奇異な目で眺められて、遂に新八郎はこの場を立ち去った。

上堀川町まで帰って来る途中では、自分の早合点で案外、小篠は鮎を買って帰って来ているのではないかなぞと考えもしたが、団子屋の店の前には小太郎と治助が茫然《ぼうぜん》と立っている。その二人の表情をみただけで小篠が戻っていないのはわかった。

「土屋どのに会って来る。先に飯にしなさい」

小太郎の肩を軽く叩いてやってから、治助にうなずき、新八郎は二条城に近い組屋敷へ行った。

土屋兵介は奉行所を退出して来ていたが、新八郎の話にそれほど驚かなかった。

「妹は、ああみえても、芯《しん》が強い女なのです。これと決めたことは、誰がなんといっても翻意しません。隼どのに御心配をかけて、まことにすまぬことですが……」

今夜、これから押田の屋敷へ行ってみるといった。

「おそらく無駄と思いますが、明朝、上堀川町をお訪ね申します故、これでおひき取り下さい」

無理に平静を装った声でいわれて、新八郎は空《むな》しく帰宅した。

「とんだことをしでかしました。新八郎様から御指図を受けていながら、お役目を果せませんで……」

飯も食わずに待っていた治助が頭を垂れ、新八郎は大きく手を振った。

「気にすることはない。着替えもせず、何も持たずに、そこまで鮎を取りに行くといえば、俺でもうっかりする。第一、俺が細かなことを打ちあけて行かなかったのが、そもそもの間違いだった」

事情を知らない治助が、小篠に欺《だま》されるのは当り前であった。

「ともかくも、飯にしよう」

と、おさくの用意した膳を囲んだが、三人共、あまり箸が進まない。

小太郎の話によると、小篠は、少々お手伝いに行かねばならない所があるので、治助さんのいうことをよく聞いてお留守をしなさいといって出かけたらしい。

「案ずることはない。お手伝いがすめば、母上は戻って来るのだから……」

と新八郎は小太郎にいいきかせたが、子供心にも異状がわかるのだろう、表情はこわばったままである。

その小太郎を湯に入れ、

「母上がお戻りになるまで、わたしと一緒に寝よう」

と奥の部屋に布団を並べて横になったが、目は冴《さ》えるばかりである。小太郎のほうは、やはり子供で、最初は薄目を開けて何度も隣の新八郎を確認していたが、間もなく安らかな寝息をたてはじめた。

夜明け近く、新八郎も僅かばかり眠った。

四

土屋兵介が来たのは、朝餉が終った頃で、新八郎を外に呼び出し、

「妹は押田の許にいます」

という。

「今後のことは手前にまかせて頂きたい」

折をみて押田内匠の屋敷を出るようにすると聞いて、新八郎は何もいえなくなった。

土屋兵介は小篠の兄である。

「隼どのが押田の屋敷の近辺を徘徊《はいかい》するのもひかえて頂きたい。目立つことをされると妹の身が危くなる怖れがあります故……」

とまでいわれると返す言葉もない。

その日一日、新八郎は小太郎の相手をして過した。

翌日からは小太郎を伴って寺社を廻ることにした。小太郎がどうしても新八郎から離れないためである。

小太郎の手をひき、或いは背におぶって、新八郎はひたすら皇室にゆかりのある寺を廻り、朝廷からの寄進の有無を問うた。その他に方法がない。

雪路が上堀川町へ訪ねて来たのは、十日ばかり後で、新八郎が疲れて眠ってしまった小太郎を背負って団子屋の敷居をまたぐと、そこに雪路が待っていた。

治助が小太郎を抱き取り、その間に新八郎が布団を敷いて寝かせるのを、雪路はあっけにとられて眺めている。

「お待たせして申しわけない」

奥の部屋へ雪路を案内し、おさくから茶を受け取って勧めながら新八郎が詫びると、雪路は軽くかぶりを振って、

「今日はどちらに……」

と訊いた。

「嵯峨《さが》の寺々を廻って来ましたが……」

相変らず収穫はない。

「私は隼様にお詫びせんならんと思うて参じました」

これだけ寺々を廻っても、朝廷から寄進の品を受け取ったところがないというのは、少しばかりおかしいと雪路はいい出した。

「坊さんが嘘をついてはるのんか、ほんまに御寄進があらへんのか……」

もう一つ、御所仕えの古い女官の話によると大火の後はともかく、最近はそう天皇家からの御寄進の数は多くない筈《はず》だという。

「昔は御所役人がお上に御寄進先を奏上するのに、たんと時間がかかったいうのどすけど、この節はそないなこともないと……」

「ほう……」

しかし、幕府のほうの調べでは年間の御寄進の費用はかなりのものに上っていると、これは京都所司代からも聞かされている。

「うっかりしていたことがおす。女院さん方の御寄進の話どすけど……」

御所には先代、先々代の後宮にあって天皇の寵《ちょう》を受け、皇子、或いは皇女を産み奉った妃が女院号を頂いて晩年を過している。

その女院御所の支出も、また天皇家よりまかなわれているのであった。

「女院さん方は後世《ごせ》を願ってお寺まいりに熱心な方々が多いと聞きますし、御年を召したお方は女官を代参におつかわしになったり、御寄進を遊ばしたり、それも御所役人があんじょうおはからい申しているとか。もし、そちらのほうに不正があるとしたら、それは朝廷にゆかりのあるお寺とは限りまへん」

女性が信仰するのは、寺の由緒ではなく、京の町衆にも人気のある、霊験《れいげん》あらたかな仏さんだと雪路はいい切った。

「そやから、うちらが廻っていたお寺さんは見当違いやと思います」

「成程」

と新八郎は合点したが、そうなると尚更、判断がつかない。

さしずめ、江戸でいうなら聖天《しょうてん》さんとか地蔵さん、お稲荷さんの類《たぐい》なのかと思う。

「どこなのです。そういう寺は……」

「たんとあります。祇園《ぎおん》さんに清水《きよみず》さん、葭垣《よしがき》御坊さんへおまいりする人も少くないのんと違いますやろか」

眼病やったら、ちょっと遠いが柳谷《やなぎだに》の観音さん、お稲荷さんは深草伏見の稲荷山が総本家、弁天様やったら中書島《ちゅうしょじま》の長建寺さんと並べ立てられて、新八郎は目まいがした。

「そういった女院方の御寄進の記録のようなものは入手出来ませんか」

雪路が眉を寄せた。

「鷹司の伯父様も御所役人に訊ねてみんことにはというて居られました」

もし、そのあたりに不正があれば、訊いたところで御所役人が正しい返事をする筈がない。

おそらく、細かなことは何もかも御所役人まかせなのだろうと新八郎も想像出来た。

「お上も女院さん方も、御所役人をよう仕えてくれると御信頼遊ばして、ちっとも疑《うたご》うて居られんのどす。なんや、悲しゅうなって来ます」

雪路が大きな吐息を洩《も》らし、新八郎は憂鬱になった。

これでは、いつまで京に滞在したところで埒《らち》があく筈がない。

「雪路様は押田内匠という御所役人を御存じですか」

思い切って名前を出してみると、

「うちはああいうお人は好かん。けど、女官さんには人気がおすえ」

御所役人の中でも男前のほうで、あたりは柔かいという返事であった。

「女院さんの中にはなんでも押田にいうたら、ええようにしてくれはるというてはるお方もおありやとか」

待たせてあった供の者が声をかけて来て、雪路が慌《あわただ》しく帰ってから、新八郎は腕をこまねいたまま夕暮の堀川をみつめていた。

帰りがけに、雪路は女院方がどこの神仏に帰依《きえ》しているかを調べるといっていたが、果して役に立つ結果が出て来るものか。

とにかく、押田内匠の屋敷から小篠を取り戻そうと、新八郎は決心した。

翌日、早朝に新八郎は土屋兵介の役宅を訪ねた。

奉行所へ出仕前の時刻で、兵介は朝餉を終えたところであった。

小太郎のために、一日も早く小篠を押田の屋敷から連れ戻したいといった新八郎に対して、兵介は暫《しばら》く考えている様子だったが、やがて立ち上って襖《ふすま》を開け、あたりに奉公人の姿のないのを確かめてから、新八郎の近くにすわり直した。

「これだけは隼どのにも打ちあけかねていたのだが、今となってはかくしても詮《せん》ないこと。身内の恥をお話し申す」

実は伏木要一郎は押田をゆすっていたのだといわれて、新八郎は驚いた。

「まさか……」

あの小篠の夫であり、小太郎の父である。

「いや、手前も最初はまさかと思うて居ったのでござる」

上役である押田の不正を探り、その証拠をつかんで、逆に押田を脅迫していたと、兵介は苦渋を眉間《みけん》に刻みながら話した。

「押田は御所役人の中でも評判の女好きにて、押田に目をつけられたら、夫のある身でもその毒牙から逃れることは出来ぬとか。その押田があろうことか小篠に恋慕致し、不埒《ふらち》な振舞に及んだ由《よし》、伏木はそれを怨《うら》みに思い、押田の不正をいいたてて、金をゆすり取ろうとした。これは伏木が手前に打ちあけたことで、手前は義弟《おとうと》を叱り、左様なことは思い止まるよう強く忠告致したのでござるが、その結果、伏木は非業《ひごう》の死を遂げました」

新八郎が膝を進めた。

「そのことを、小篠どのは御存じか」

「伏木の死後、手前が打ちあけました。かくしておけることでもないので……」

「すると、小篠どのが押田へ行かれたのは……」

「小篠が手前に申しました。押田が自分を望むのなら、世話になってもよい。小太郎のためにも確かな後楯《うしろだて》が欲しいと。それ故、おそらくは押田の許しが出次第、小太郎を手許に引取る所存かと推量して居ります」

茫然《ぼうぜん》としている新八郎に、いいにくそうに続けた。

「折角、隼どののお宿にとお連れ申しながら、かようなことになり、まことに相すまぬとは存じますが、あまり御不自由をおかけせぬ中《うち》に然るべき宿にお移り願いたく、小太郎は手前が引取り、いずれ、小篠に渡してやろうかと……」

そこまでいわれては、新八郎にしても承知せざるを得ない。

上堀川町へ帰りながら、新八郎は考え込んだ。

どうも、土屋兵介の話がすんなり胸におさまらない。

第一、小篠は新八郎に対して、夫の敵を討つと告げている。もし、伏木要一郎が押田をゆすっていたのならば、その死は自業自得、少くとも敵討とはいえない筈であった。

それに、理由はともかく、夫を殺したかも知れない相手に、我が子の将来を考えて世話になるというのも、新八郎の知っている小篠らしくなかった。

新八郎がみた小篠は、夫の死に耐え、我が子を守って必死に生きていた。その凛《りん》とした健気《けなげ》さにひそかに心を打たれていたものである。

団子屋の店先にはおさくがすわっていた。

小太郎は治助と近くのお稲荷さんに参詣かたがた遊びに行ったという。いわれてみれば今日は午《うま》の日であった。

「あんたは、随分前から伏木家へ奉公していたそうだな」

治助から聞いたのを思い出しながら、改めて問うた。

「へえ、小太郎坊ちゃんがお生れなさる前からお仕えしとりましたんやけど……」

暇を取ったのは、伏木要一郎が急死して御所役人の組屋敷を出るようになった時だといった。

「それでは要一郎どののことはよく知っているな」

上りかまちに腰を下し、新八郎がくだけた調子で話しかけると、おさくはすぐ乗って来た。

「ええ旦那はんどした。気性がお優しゅうて荒いお声一つも立てんと……」

「夫婦仲も睦《むつま》じかったのだろうな」

「そらもう、御近所でも評判どした。なにせ旦那はんがお見染めやして、何度も足を運んで漸《ようや》く貰《もろ》うたお内方《うちかた》やいうことですよってに……」

「その頃、小篠どのの御両親は御健在だったのか」

「今でも御達者の筈や」

「ほう……」

「長野の善光寺さんの近くに住んではりますがな」

「すると、京のお人ではないのか」

「お内方のお父はんは京生れの京育ちで、お奉行所の同心をしてはりましたんやけど、なんや御用で信州へ行かはった時、むこうで大病にかかってしもて、その時、厄介になった家の娘はんが、お内方のお母はんやということどすがな」

京へ連れて来て正式に夫婦になり、その間に生まれたのが土屋兵介と小篠の兄妹だとおさくはわけ知り顔に話した。

「大旦那《おおだん》さんは足を痛められて、御家督を兵介はんにゆずってな。その中、小篠嬢《とう》はんの縁談もきまり、お嫁入りしはったんで、御夫婦揃って信州へ行かはったんや。そやよってに、今でも信州にいてはります」

「成程、そういうことだったのか」

大きく感心してみせて、新八郎は話を元にひき戻した。

「ところで、つかぬことを訊くようだが、伏木家は、あんたが奉公していた時分、お内証が苦しかったというようなことはなかったのか」

おさくが、とんでもないというふうに手を振った。

「お暮しむきは御質素どしたけど、その分、きちんと貯えをなさって、わたしらお仕えする者《もん》には手厚うしてくれはりました。お暇を頂いた時も、こないにしてもろてええやろかと思うほどやった。けど、ここへ来て決してお楽なお暮しやないことがようわかりました。ほんまにすまんことやったと思うてます」

「伏木どのの評判は……」

「そらもう律義で、まがったことがおきらいで……」

「賭事などに熱中することは……」

「そないな話、聞いたこともあらしまへん」

団子屋に客が来て、おさくは店へ出て行った。

新八郎のほうは草履《ぞうり》を脱いで上りながら、間もなく治助と小太郎が帰って来たら一緒に昼餉をすませ、それから移り先の思案をしようと考えていた。

もう、おさくに訊くようなこともない。

だが、団子を売って戻って来たおさくが、とんでもないことをいい出した。

「賭事いうたら、土屋の旦はんはけっこうお好きどす」

「なに……」

「この節は慎しんでおいやすかどうか。ひと頃は町衆の旦那方と遊んではって、歿《なくな》られたこちらはんの旦那はんがよう意見をしてはりました」

「土屋どのが賭事に凝っていたというのか」

「へえ、もし、お奉行所の上の御方に知れたら、えらいことやとわたしらも噂をしてましたんや」

「すると、借金などもあったのか」

「そら、ございましたろうが。煙草銭《たばこせん》も失《の》うなって、お内方からねだってはったことも何遍とありましたよってに……」

「小篠どのに煙草銭を……」

「へえ、お内方は旦那はんとお兄さんの間に立って、苦労してはったのと違いますか」

おさくが昼餉の支度に台所へ去ってから、新八郎は再び考え込んだ。

伏木要一郎のほうは律義者でまがったことが嫌い、家族との暮しは質素で、その分、奉公人にはよくしてやっていたという。

土屋兵介は独り者で奉行所の同心だから、そう給金が多いわけはないが、暮しに不自由はない筈であった。にもかかわらず、妹に煙草銭までねだっていたというのは、かなり賭事にのめり込んでいた節がある。

どっちが、人を脅迫してまで金を必要としたかといえば、これは間違いなく土屋兵介と思われた。

もし、伏木要一郎が正義漢で上役の不正に気づき、それを探って或る証拠を摑《つか》んだとして、彼がそれを打ちあけるのは、妻の兄であり、京都町奉行所の同心の職にある土屋兵介ではないのか。

その兵介が賭事の借金に追いつめられて、義弟を裏切って押田に密告し、礼金をせしめるというのは、あり得ない話ではない。

改めて、新八郎は土屋兵介について考えてみた。

最初に、高橋吉之助に紹介された頃の土屋兵介は実直で世話好きという印象であった。人当りは柔かいし、ざっくばらんでもある。

御所役人の不正を探るという目的をもって京都町奉行所に協力することになって、万一、迷惑を及ぼすといけないと考えて、それまで厄介になっていた鷹司家を出ることにした新八郎に、いち早く妹の小篠の家を当座の宿にと勧めてくれた。

だが、小篠が押田内匠の屋敷へ入ったあたりから土屋兵介の態度は明らかに変っていた。

少くとも、押田の許から小篠を取り返そうとしている新八郎に対して否定的である。

考えたくないことだが、万一、土屋兵介が押田内匠に内通しているのであれば、奉行所の探索に加わった新八郎を妹の家に住まわせたのは、自分の目の届く所においたほうが有利と判断したせいではないのか。

実際、新八郎はこれまで雪路と寺社を廻って寄進の品を調べていることなど、なにもかも土屋兵介に話している。

治助が小太郎を背負って帰って来たのが目に入って、新八郎は立ち上った。

「どうかしたのか」

と声をかけたのは、治助の背の小太郎がぐったりしているように見えたからである。

「どうも、坊やの様子がおかしいので……熱があるような気がします」

たしかに新八郎が抱き下すと、小太郎の体が異様に熱かった。いつもなら、新八郎の顔をみて歓声を上げる小太郎がその元気もない。

「こら、いかんわ。お医者にみせんことには……」

台所から出て来たおさくが小太郎の額に手をあて眉をひそめた。

「近くに、ええお医者はんがいてはります。ちゃっと呼んで来ますよって……」

おさくがとび出して行き、新八郎は小篠が居間にしていた部屋に布団を敷き、小太郎を寝かせた。

治助は水を汲んで来て、手拭を絞って額にあてている。

「おい、苦しいのか、しっかりしろ、今、お医者が来る」

新八郎が声をかけると、小さな手をのばして新八郎にすがりついた。新八郎が握りしめたその手も熱い。

おさくが医者と一緒にかけ込んで来るまで新八郎は小太郎を布団の上から抱えるようにしていた。

中年の医者はみかけは貧相だったが、手ぎわは悪くなかった。

風邪だという。

「ここ二、三日、日中は汗が出るほどでも、晩げになると急に冷える。秋口の風邪は冬よりたちが悪いよってに、大事にせなあかん」

体は温かくして、汗をかいたらすぐに下着を取り替える、熱のある間はこまめに冷たい手拭をあててやることなぞの注意をし、薬を作るから誰か一緒について来いといった。

治助がついて行って、もらって来た薬を煎《せん》じて小太郎に飲ませる。

一日が慌しく暮れ、夜になった。

その頃から薬が効き出したのか小太郎は汗をかき、新八郎は勝手のわからない行李《こうり》などを片はしから開けて小太郎の衣類を探し、着替えさせた。

汗に濡れた衣類は、おさくが井戸端へ持って行ってせっせと洗う。

治助はつきっきりで、額の手拭を取り替えてやっていた。

そうした中で、新八郎がもう一つの行李を開けたのは、この際、小太郎の着替えをまとめて出しておこうと思ったからで、丁寧にたたんである下着や浴衣《ゆかた》、単衣《ひとえ》の着物などをより分けていると、一番下に風呂敷包にしたものが入っていた。

取り出して開けてみると、それは産着《うぶぎ》であった。おそらく、小太郎のお宮まいりの時に用いたのだろう、濃紫《こむらさき》の縮緬《ちりめん》に白兎《しろうさぎ》、肩に当るところには月が染め出してある。みるからに愛らしいが、病人の着替えには使えないので、新八郎はそれを風呂敷に包み直して行李の中へ戻した。その時、衿《えり》のあたりに独特の手ざわりがあったのだが、小太郎の病気のことしか念頭になかった新八郎は、そのまま上に必要のない衣類をおさめ、行李の蓋《ふた》を閉めた。

衣類を持って小太郎の枕許《まくらもと》へ戻って来ると、病人はうとうとと眠り出している。

「今夜は俺がついている。二人共、やすんでくれ」

治助とおさくにいい、新八郎は小太郎の少しばかりはだけた胸許をかき合せてやった。

小さな守袋が首から下っている。紐《ひも》が苦しいのではないかと、それをはずした。守袋は薬師さんで授って来たもののようである。枕許にそれをおき、新八郎は僅かばかり開いていた窓辺の障子を閉めに立って行った。

空には半月が浮んでいる。

五

隼新八郎は妻帯はしていたが、夫婦の間に子は未《ま》だなかった。

子供の気持というのは、子を持ってみなければわかりにくいものだと、新八郎は五つの小太郎が病んで、はじめて思い知った。

年齢《とし》の割には聞きわけのよい子であった。

たった一人の肉親である母親が突然、姿を消してしまって、さぞ悲しくも心細くもあったろうに、泣きわめきもせず、ひたすら新八郎を頼って毎日を過して来た。

その小太郎が高熱にあえぎながら、遂に母を呼んだのであった。

「母上」

「かあさま」

という弱々しいが、必死な声を耳にして、新八郎は途方に暮れた。

病に苦しむ幼い子は、母の顔を求め、母の手を探している。

枕許にすわって桶に汲んだ水で手拭を濡らし、小太郎の額に当てていた治助がつい、泣いた。

目がさめたら、一口でも食べさせようと粥《かゆ》を煮て来たおさくも前掛のすみを目に当てる。

小篠を迎えに行こうか、と新八郎は考えていた。

だが、小篠は御所役人、押田内匠の屋敷にいる。

新八郎が出かけて行っても、果して、押田が小篠に会わせてくれるかどうか。まず、話も聞かず、門前払いにするにきまっている。

小太郎の枕辺を離れない新八郎のために、おさくが握り飯を作って来て、新八郎は無意識にそれを食べた。

ここが江戸なら、と、つい思った。

新八郎が窮地に陥った時、必ず適確な指示を与えてくれる師父の如き、主君根岸肥前守の存在がある。各々の分野で助力を惜しまない義兄の神谷鹿之助《かみやしかのすけ》、友人の同心である大久保源太《おおくぼげんた》、大竹金吾《おおたけきんご》、旗本の落合清四郎《おちあいせいしろう》、それに湯島《ゆしま》の鬼勘《おにかん》、娘の小かん、駒《こま》込《ごめ》の岡っ引、藤助《とうすけ》と、次々になつかしい顔が瞼《まぶた》の中《うち》に浮んで来る。更にいえば、肥前守の侍女であるお鯉《こい》、妻の郁江《いくえ》。

自分の日常が、どれほどの人々の中にあって守られて来たかを、新八郎は思う。

しかし、ここは京洛の地。新八郎は一人であった。

小太郎が目を開けた。

あたりを力なく見廻すのは、母を探しているとわかる。つらい気持で新八郎は小太郎を抱きおこし、厠《かわや》へ連れて行った。

戻って来て、薬湯を飲ませる。粥はまだ食べる気力がないようであった。そのまま、ひき込まれるように眠ってしまう。

医者は午《ひる》近くに来てくれた。

熱は下りかけているという。

「明日になれば、食欲も出ようが……」

目ざめた時、砂糖を湯に溶いたものを飲ませるか、葛湯《くずゆ》などを勧めてみるとよいと教えて帰った。

雪路が訪ねて来たのは、おさくが葛粉と砂糖を買いに出た後であった。

「坊《ぼ》ん、どないしはったん」

まだ熱のために少し赤い顔で眠っている小太郎をのぞいて眉をひそめた。

「小さいお子の風邪は油断したらあきまへんえ」

供について来た女に何かを命じ、自分は新八郎の傍《そば》に来てすわった。

「今日は御所からお暇を頂いて、隼様とお寺廻りをしようかと思うて出て来ましたんやけど、これでは、あきまへんなあ」

心配そうに小太郎の様子を眺め、その視線が枕許においてあったお守に止った。

「これはお薬師さんのお守ですなあ」

「身共《みども》にはよくわからぬのですが、この子が首にかけていたのです」

「お薬師さんは万病を治して下さる尊い仏さんですよってに、お子たちの肌守にはのうてはならぬものや。御所の女院さん方にもお薬師さんを信仰される御方は少のうございません」

守袋を手に取って裏を眺め、小さく叫んだ。

「いや、因幡《いなば》薬師さんで授って来なはったんや」

何のことかという表情の新八郎に説明した。

「これ、因幡薬師さんのお守どす」

「因幡薬師……」

「平等寺さんどすがな」

「さて……」

苦笑しながら新八郎は訊《たず》ねた。

「因幡薬師と申すと、因幡国の……」

「もともとは、そっちゃから来なすった仏さんいうことですけどなあ」

買い物から戻って来て、雪路に挨拶に来たおさくが、話の半分ばかりを聞いて口をはさんだ。

「そないにいわはっても、隼様には何のことか、ようおわかりにはならしまへん。最初から筋道立てていうておあげなさいまし」

雪路が笑って、新八郎を見た。

「わからしまへんか」

「全くのところ……」

「そら、すまんことでした」

隼様は橘行平《たちばなのゆきひら》を御存じかと訊かれて、新八郎はいよいよ窮した。

「村上天皇さんの頃のお公卿《くげ》さんどす」

あっさり教えて、雪路は小太郎の額に当ててあった手拭を取って桶の水でしぼり直した。

「その行平さんが天皇さんのお使で因幡国へ下向《げこう》された時、むこうで病にかかってしもて、そしたら、夢にお坊さんが出て来はって、架留津《かるつ》の海に光り輝くものがあるよってに、それをひき上げてお祈りせいいうて消えたんですと。せやから、行平さんが架留津へ行ってみると、ほんまに海の中から光がさしている。お供の衆が浜の漁師を集めて網でひき上げたら、それが御丈《おんたけ》五尺ばかりのお薬師さんの御像やったそうですわ」

雪路の長話に、新八郎は思わずいった。

「そういう話は江戸にもありますよ。浅草寺《せんそうじ》の御本尊は宮戸川の中から光を発していて、漁師がひき上げたと聞いています」

「お江戸の話はどうでもよろし。今は因幡薬師さんの話をお聞きやす」

傍からおさくが真面目に話した。

「ほんまに大層な御利益《ごりやく》のある仏さんどすえ。行平さんはそのお薬師さんのおかげで病が治り、無事に京《みやこ》へお帰りやしたんやけど、お薬師さんはその後を追って、京まで来なはったんやと」

まるで惚《ほ》れた女が追いかけて来たみたいだと思ったが、新八郎は口に出さなかった。

二人の女は、実に有難そうに仏の因縁を話している。

「行平さんはいよいよ驚かはって、碁盤《ごばん》の上にお薬師さんの御像を安置して、遂にお屋敷をお寺に作りかえてしまいはったんです」

「成程、それが京の因幡薬師堂ですか」

やれやれと新八郎は合点してみせた。

「おかげで、よくわかりました」

けれども、雪路は何か考え込んだように、ぼんやり空間を眺めている。

「どうかしましたか」

まだ、話の腰を折ったことに立腹しているのかと訊いてみると、

「いえ、ちょっと……おさくさんが因幡薬師さんの話をしている中に、何や、心にひっかかるものがあったんやけど、それが何かは思い出せしまへんの」

胸にものがつかえたような顔で、おさくのいれた茶を飲んでいる。

そこへ、雪路のお供の女が戻って来た。

小さな壺を持っている。

「蜂蜜どす。葛湯に入れて坊やに飲ませてあげて下さい」

また出直して来ますといって、早々に帰った。

所在なく薬師如来の尊像のおさめてある守袋をみつめていて、新八郎は再び小篠のことを考えた。

子にとって薬師とは、即ち母ではないかと思う。如何《いか》なる良薬よりも、病んだ子にとって必要なのは母に違いない。

小篠は、まだ我が子が病んで、母を呼んでいることを知らない。

ふっと小太郎が目を開けた。

新八郎が顔を近づけると、小さな手をさし出した。その手を握りしめて、新八郎は遂にいった。

「小太郎、母上に逢いたいか」

熱にうるんでいた両眼に光がともった。

「今から、母上を迎えに行って来る。治助やおさくのいうことをきいて、おとなしく待っているのだぞ」

「小父《おじ》さん……」

かすれた声をふりしぼって小太郎が告げた。

「母上と一緒に、きっと、戻って来て……」

「わかった。小太郎が薬を飲んで、ひとねむりしている中に帰って来る」

「ああ、待ってるから……小父さん」

小さな手が力一杯、新八郎の手を握りしめ、新八郎はその手をふりほどいて立ち上った。

おろおろと治助が外までついて来る。

「旦那様……」

「心配するな。わけを話せば、先方も納得するだろう。必ず、小篠をつれて戻って来る。小太郎を頼むぞ」

いい捨てて、新八郎はまっしぐらに堀川沿いの道を急いだ。

押田内匠の屋敷はこの前、小篠を追って行った時、尋ね当てているので、場所はわかっていた。

すでに季節は秋、日ざしはまだ強いが、暑さには翳《かげ》りがみえている。

堀のむこう側に二条城が眺められた。

京都町奉行所の組屋敷はその南西側だが、新八郎は足を止めなかった。

京都町奉行所同心、土屋兵介は小篠の兄だが、今の新八郎は土屋兵介を信頼していない。

彼に助力を求める気持は最初からなかった。

堀川沿いの道を丸太町で折れてまっすぐに行くと、やがて九条家、鷹司家などの公卿屋敷の屋根が近づいて来る。

禁裡《きんり》を中心にするその一画は女院御所、仙洞御所があり、それらを取り巻くように公家《くげ》衆の屋敷がおさまっていた。

きっかりした矩形《くけい》のこの地域は南北を丸太町通りと今出川《いまでがわ》通り、東西を寺町通りと烏丸《からすま》通りで区切られている。

禁裡御所のまわりは小さな溝が流れて居り、塀がめぐらされている。それは仙洞女院御所も同様であったし、鷹司家などの上級貴族の屋敷もほぼ、それに準じた形式を取っていた。

京へ来て、鷹司家に滞在していた時の新八郎は、この地域を自由に歩き廻っていたが、無論、御所の内には入ったことがない。

まして、上堀川に町屋住いをしてからは、なんとなくこの地域に近づき難い気持があって、雪路を送って来た時でも、鷹司家に近い丸太町通りまで踵《きびす》を返していた。

今日も同様で、寺町通りへ出てから御所役人の組屋敷のある鴨川寄りの一画へ向った。

押田内匠の屋敷は高砂町《たかさごちょう》の町屋と道一つをへだてた場所にある。

ためらいなく、新八郎は門を入り、玄関で案内を乞うた。

出て来たのは若い侍だったが、体つきは女のように華奢《きやしゃ》であった。

「手前は隼新八郎と申す者、急用あって押田内匠どのにお目にかかりに参った。何《なに》卒《とぞ》、お取り次ぎ下さい」

丁重な新八郎の挨拶に、若い侍は冷笑を口許に浮べた。

「あいにく、主人は御所に出仕されて居ります」

「では、急を要すること故、そこもとに申し上げる。御当家に滞在中の小篠どのと申す女子《おなご》の悴《せがれ》にて小太郎と申す者、昨日より高熱を発し、ひどく苦しんで居ります。まだ幼子《おさなご》のこと、医者より母親の看護がなによりといわれ、それがしが迎えに参った次第、このこと、小篠どのにお伝え願えませぬか」

若侍が軽く舌打ちした。

「当家に左様な女子は居りません。何かのお間違いでござろう」

「御存じないといわれる」

「左様、なににせよ、只今《ただいま》は主人が留守、改めてお越しなされ」

「御主人には何刻頃《なんどき》、お帰りなさるか」

「さあ、わかりません」

立って来て新八郎の胸へ手をかけた。

「当家は不浄役人の出入りする所にあらず。とく、お帰りなされ」

「なに……」

「江戸町奉行、根岸肥前守様の配下、隼新八郎どの。場所柄をわきまえなされ」

「ほう」

胸倉を取られたまま、新八郎は不敵に笑った。

「主君の御名を出されては、尻尾を巻いてひき下るわけには行きませぬな」

軽く相手の手を払いのけただけで、相手はよろめいて敷台に尻餅を突いた。

新八郎はすばやく玄関脇の枝折戸《しおりど》を通って裏庭に抜ける。背後で若侍が何か叫んでいたが、ふりむきもしなかった。

「小篠、どこにいる。新八郎が迎えに参った。小篠……返事をしろ」

どなりながら建物に沿って走って行くと、勝手口のほうから奉公人らしいのが二、三人、驚いたように顔を出したが、別に手むかいをする様子もない。

「お前達、小篠を知らぬか。子供が病気なのだ。どこにいるか知っているなら教えてくれ」

近づいた新八郎をみて、わあっと勝手口へ逃げ込んだが、最後の一人がふりむいて、目で井戸のむこうを指した。

そこに物置小屋のようなのがある。

「小篠……、小篠はどこだ」

小屋の中で物音がした。

猶予なく新八郎が戸口を開ける。

夕陽がさし込んで、小篠の姿を照らし、新八郎は一瞬、息を呑《の》んだ。

下半身に二布《ふたの》一枚を巻きつけただけの姿であった。むき出しの乳房の上に縄がかけられ、後手《うしろで》に縛ってある。

とび込んで、新八郎が縄を切った。傍《かたわら》にある衣類を投げてやる。

「小太郎が病気なのだ。母を呼んでいる。俺と一緒に帰ってくれ」

戸口のむこうに目をくばりながら新八郎がいい、小篠はよろめきながら立ち上って衣類をまとった。が、帯がない。

気がついて新八郎は刀の下緒《さげお》を取って渡した。

その間にも耳を澄ませたが、屋敷の中はひっそりしている。

押田内匠が出仕中というのは嘘ではなさそうだと新八郎は合点した。

禁裡付与力は六十石高であった。

役料以外の収入があったとしても、そう多くの奉公人を召し抱えられる筈がない。

取次に出た若侍の他は、勝手口に顔をみせた下働きの男女ぐらいに違いなかった。

身支度をした小篠を連れて新八郎は再び庭を走り抜け、玄関の脇から門の外へ出た。

あっと思ったのは、そこへ押田内匠が走って来たからである。

知らせに行った若侍と途中で会ったものだろう。内匠の背後に逆上した様子の若侍の顔がある。

内匠もまた、新八郎を見て、声が出ない様子であった。

こうなると場馴れしている新八郎のほうが強い。

「押田どのには、只今、お帰りでございましたか。火急の用あって、小篠どのを迎えに参った。子細はその御家来よりお聞き下さい。では、御免」

いい呼吸で小篠をうながし、高砂町のほうへ歩き出す新八郎を、押田内匠は茫然と眺めていた。

高砂町は町屋なので、まだ日の暮れ前のこの刻限、店も開いているし、人も往来している。

それらの人々の殆《ほと》んどが、別に何事が起ったとも気づいていなかった。

新八郎は小篠をかばうようにして丸太町通りを行き、駕籠《かご》をみつけて乗せた。

あとは上堀川町まで、まっしぐらである。

小篠は、新八郎が駄賃を払っている中に我が家へ走り込んだ。

「小太郎……」

それまで固く結んでいた唇から、はじけるように我が子の名がとび出した。

「小太郎……」

治助がふりむき、眠っていた小太郎が目をさました。

「母上」

「小太郎」

母親が寝ている我が子を布団ごと抱き、小さな頰に自分の頰をすりよせた。

「堪忍《かんにん》……、堪忍して……」

新八郎は部屋の入口に立って眺めていた。

小太郎の目から涙があふれ、それが子供らしい泣き声に変って行くのを、なんともいえない気持でみつめていた。

六

押田内匠の屋敷から小篠を連れ出すことは思いの外、うまく行ったものの、これで済むとは新八郎も思っていなかった。

この先、押田内匠がどう出るか、新八郎にしても予断を許さぬところだったが、小篠は我が子の看病に夢中で他のことは忘れたような顔をしている。

その小太郎の病状も、母親が居ると居ないとではこうも違うものかと驚くほど回復していた。

蜂蜜をたらした葛湯の他に、粥も少し食べ、やがて安らかな寝息を立てはじめる。

それを見守りながら、小篠が改めて新八郎に詫びた。

「愚かな私故に、隼様にえらい御迷惑をおかけしてしもうて……ほんまにどない申し上げてよいやら……」

押田内匠が小篠に何をしたかは、あの物置小屋での小篠の姿を見れば、およそ想像がついたが、新八郎はそのことに触れなかった。

「やはり、小太郎には母上が一番なのだな。母上の顔を見たら、こんなに元気になった」

枕許の守袋を取って、小篠に渡した。

「お薬師さんも、小太郎を守って下さったのだろう」

「この守袋は、歿《なくな》った夫が、この子のために求めて参ったものでございます」

それも歿る、ほんの少し前のことだったと小篠は打ちあけた。

「お役目大事、御用第一のお人で、我が子になんぞ買《こ》うて戻るいうことは一度もございませなんだのに、なんでやろか、あの日、これを平等寺さんに出かけて授って来て……この子の首にかけて、その夜は何やら昔話までしてやって居りましたんや」

「平等寺というと、因幡薬師堂のことか」

「へえ、なんでも、高倉天皇さんが幼い頃に病気にならはって、母君の女御さんが因幡薬師さんに願をかけはって、それで本復なさったいうことです。それで、高倉天皇さんが御堂を寄進なすって、平等寺いうお名前をつけはったと聞いています」

高倉天皇といえば、平清盛の娘が中宮となり、産み奉った皇子が安徳天皇で、平家一門と共に壇ノ浦で海中に沈んだ悲しい物語が今も語り継がれている。

「そうか、すると朝廷とも縁の深い寺の一つということになるのだな」

昼間の、雪路の話を思い浮べながら新八郎はいったのだが、小篠の思いは因幡薬師のお守から別のところへ向いていた。

「そうや、思い出しました。あの夜、夫が小太郎に話をしてくれましたんは、大黒様が因幡の白兎を助けはったお話どした」

大黒様と小篠がいったのは大国主命《おおくにぬしのみこと》のことであった。

『古事記』に出て来る神話で、沖の島から出雲《いずも》へ渡ろうとした兎がワニを欺してその眷族《けんぞく》をずらりと並べさせ、その上を通り抜けたものの、悪計がばれて皮をはがれ、赤はだかになって苦しんでいるのを、大国主命が真水で体を洗い蒲《がま》の穂綿にくるまれと教えて治癒《ちゆ》したといった物語である。

非業の死を遂げる何日か前に、伏木要一郎という禁裡付同心が、我が子に因幡薬師のお守を求めて来て、その夜、因幡の白兎の神話を語って聞かせていたという、小篠の思い出話を新八郎は考え込んだ。

伏木要一郎は、それ以前から上役である押田内匠達の不正を調べていたようであった。

もしかすると、伏木は不正の証拠を入手していたのかも知れないと新八郎は気がついた。

そのことを妻の兄である土屋兵介に知らせ、土屋は義弟を裏切って押田にその旨《むね》を注進した。結果、伏木要一郎は死体となって鴨川に浮んだのだ。

伏木要一郎が命を賭けて手に入れた証拠とは何だったのか。そして、それは彼の死後、どうなったのだろうと思いついて、新八郎は小篠に訊ねた。

「伏木どのが殁られた後、組屋敷を出られるに際して、家財道具などは如何《いかが》なされたのですか」

「身一つで立ちのけといわれまして……」

嫁入りの時に持って来た長持や鏡台などもそのまま置いて来たという。

「ただ、立ち会われたお方が、どこへ落付くにせよ、子供の着替えぐらいはなくては困るやろという て下さって、肌着なぞ風呂敷包一つほどは持たしてもらいましたけど……」

「残して来た家財道具が、その後、どうなったかは……」

「知りまへん。ただ、ずっと後になって、その頃、奉公していた者が訪ねて来て、私と小太郎が去った後、なんや大掃除でもするようなさわぎで畳までめくっているのを見たというて居りましたけど……」

「成程」

小篠が洗いものを持って井戸端へ出て行くのを見送って、新八郎はやはりと内心でうなずいた。

畳をめくってまで家探しをしたというのは、おそらく伏木要一郎がひそかに持ち出した証拠の品が、まだ発見されなかった故に違いない。

少くとも、殺害された時、伏木要一郎はそれを持っていなかった。

組屋敷を身一つで退去させ、徹底的に屋内を調べて、押田一味はその証拠の品を取り返したのだろうか。

伏木要一郎が死んだのは五月と聞いている。

それから二ヵ月余りも過ぎた今頃になって、何故、押田内匠は伏木要一郎の妻であった小篠を奉公という名目で自分の屋敷へ呼んだのか。

土屋兵介がいったように、以前から小篠に恋慕していたというなら、夫の死後二ヵ月というのは如何にも中途半端な気がする。

多分、押田一味は必死になって伏木の屋敷中を調べ尽し、更には彼がそうしたものをあずけそうな場所を嗅ぎ廻ったのではなかったか。

それでも、目的のものは出て来ない。

最後の策として、もう一度、伏木の女房を呼んで、夫から何かあずかったものはないか、と問いただすためだとしたら、あの物置小屋の中の小篠の様子も合点出来る。

押田家での出来事は訊ねまいと決めていた新八郎だったが、これだけは確かめておかねばならないと思い、土間へ下りた。

小篠は裏口で軒先に洗った小太郎の肌着を干していた。

押田内匠から何か訊かれなかったかといった新八郎に小篠は唇を嚙んだ。

「今頃になって、うちが夫から何んぞ受け取って居らんかと、しつこう訊かれました。けど、何にも受け取ったものなぞあらしまへん。なんぼ責められたかて、ないもんはない。仮にあったかて、誰がいうてやりますものか」

「心当りはないのですな」

「ないのんが、ほんまに口惜しゅうおす」

「押田は、その品物について、なにかいいましたか」

「紙きれやと……」

「紙きれ……」

「なんぞの受取り書と違いますやろか」

以前、兄の土屋兵介からも同じようなことをいわれたといった。

「そうか。土屋どのが……」

土屋兵介が、はじめて新八郎に伏木要一郎の死について打ちあけた時、そういう話が出たと新八郎は記憶をたぐった。

御所役人の不正は二重の受取り書があるのではないかと伏木要一郎が考えていたと土屋兵介は新八郎に語っていた。つまり、一つは本当の値段、もう一つは水増した値段の受取り書で、その差額が御所役人の懐に入る仕組みになっているのではないかというものである。

ひょっとすると、伏木要一郎はその二重の受取り書を入手したのではなかったのか。

「殺られた伏木どのは用心深いお方ではありませんでしたか」

新八郎の問いに、小篠は大きくうなずいた。

「どちらかというたら、そうやったと思います。とりわけ、御用むきのことに関しては用心の上にも用心をというお人どした。ほんまのことを申しますと、うちの兄にも真底、心を許すことはなかったように思います」

夜風が出て来て、新八郎は小篠と家の中へ入った。

おさくは夕方、暇を取って自分の家へ帰ったので、治助が風呂の火を焚きつけている。

小篠が小太郎の様子をみに奥へ入り、新八郎は居間に使っている部屋へ上ってすわり込んだ。

伏木要一郎は御所役人の不正の証拠を入手して、それをどうしたものかと思案に暮れたのではないかと思う。

一番てっとり早いのは、義兄の土屋兵介に頼んで、京都町奉行に訴え出ることだが、自身も御所役人の一人である伏木にしてみれば上司の不正を公けにすることにためらいがなかったとはいえない。

もっとも危険なのは、下手な所へ訴え出て折角の証拠を握りつぶしにされることで、そうなったら、自分の命はもとより、家族も無事ではすまない。

そう考えると、間違いのない訴え先を確認するまで、証拠の品はどこかにかくしておかねばならないので、その場所は用心深い伏木要一郎が考え抜いたところであろう。

更にいえば、それは自分に万一の場合、家族の誰かに托しておかねばならなかった。

だが、小篠は夫から何も聞いていない。

それは当然のことで、秘密を打ちあけられた妻は死んでもそれを守ろうとするかも知れず、むしろ、何も知らせないのは、家族を巻き込まない用心の故でもあろう。

それでも伏木要一郎は家族に何かを托している。

新八郎の視線が、居間の経机の上においたままになっている因幡薬師のお守を捕えた。

　因幡薬師、そして因幡の白兎。

　生前の伏木要一郎が家族に残したのはこの二つではなかったのか。

　しかも、小篠が夫の死後、組屋敷から持ち出すことの出来たのは、小太郎の着替えだけだったといっている。

　新八郎の脳裡に一枚の産着《うぶぎ》が甦《よみがえ》った。

　小太郎が発熱した夜、汗をかいた肌着を着替えさせるために、押入れの行李《こうり》を開けた。その一番下に風呂敷包にしてあったのは、小太郎のお宮参りの時の産着で、それは八月生れの小太郎にふさわしく、月と兎の模様が染め出されていた。

　因幡の白兎、そして産着の玉兎《ぎょくと》。

　あの産着をたたんでしまう時、新八郎は自分の指に触れたかすかな感触を鮮やかに思い出した。

　小篠が戻って来た。

「小太郎は熱も下って、寝息も常のように……」

　新八郎の表情をみて、語尾を消した。

「すまぬが、小太郎の産着をみせて下さらぬか」

「はい」

押入れから行李を出した。

「小太郎の産着は、まだ京に居りました私の両親が染めから柄から決めて呉服屋に注文してくれまして……」

紫地の産着が新八郎に渡された。

指先で衿《えり》の部分を探る。

小篠にことわって、新八郎は衿の部分をほどいた。薄い芯地の間に折りたたんだ紙片が一枚。

注意深く広げてみて新八郎は息を呑んだ。

それは、因幡薬師堂へ寄進された御戸帳《みとちょう》の受取り書で、値は拾弐貫弐百匁《もんめ》。調製したのは下京の近江屋清左衛門とある。

遠慮がちに戸を叩く音がして、新八郎は反射的に大刀を取りに立ったが、出て行った治助の声が、

「加賀様がお出でなさいました」

と取り次いでいる。

慌しく雪路は入って来た。

こうした時刻に、雪路が訪ねて来たのは、今夜が初めてである。

「大事なことがわかりました。一刻も早《は》ようお知らせせんならんと思うて……」

挨拶も抜きで、いきなりいった。

「今年のはじめに、お上は平等寺さんに御戸帳の御寄進をなされましたんや」

昨年来、体調の優れなかった御生母が平等寺へ願をかけたところ、みるみる中に回復された御礼のためだったという。

平等寺は即ち因幡薬師堂であった。

「実は、たった今、かようなものをみつけたのです」

新八郎がさし出した受取り書を雪路が見た。

「間違いおへん。これこそお上の御寄進遊ばした御戸帳の受取り書やと思います」

「御戸帳とは、どのようなものですか」

はやる胸をおさえながら新八郎が訊いたのは、その値段があまりにも高かったからである。

江戸は金《きん》勘定だが、上方は銀勘定であった。

金と銀との両替はその時の相場があって少しずつ変るが、近頃はおおむね金一両は銀六十匁だと聞いている。

従って拾弐貫弐百匁は二百両余に当る。

「御戸帳いいましたら、御本尊様の御厨子《みずし》の内側に下げる御幕のことどす」

普段は下げておくと扉の役目をし、左右に開くと御本尊が拝される。

「因幡薬師堂の御本尊の御身《おみ》の丈《たけ》はどれほどか御存じか」

小篠が答えた。

「五尺やと聞いたおぼえがございます」

五尺の御本尊の御厨子ならば、高さは六尺前後がせいぜいに違いない。

「手前は不信心で御戸帳のことなど、とんとわからぬが、拾弐貫弐百匁もするものでござろうか」

女二人が顔を見合せ、首をふった。

「なんぼなんでも、そないに高いことはあらしまへんやろなあ」

間違いないと新八郎は思った。

この受取り書こそが、伏木要一郎が入手した不正の証拠に違いなかった。

廊下を治助がやって来た。

「土屋兵介様がおみえでございます。加賀様のお供の衆が居られるのをごらんになって、旦那様に、外でお話がなさりたいとか……」

新八郎は大刀を腰にさした。

「治助、小太郎を背負え。俺が外へ出て、もし斬り合いになったら、かまわず、雪路どの、お供の衆と共に、みなして裏口から抜け出し、まっしぐらに酒井讃岐守様の役宅へ逃げ込むのだ。俺もすぐに後を追って行く」

「隼様……」

小篠が呼んだ。

「兄は、やはり、押田に内通して……」

「話は後だ。雪路どの、よろしいな」

青ざめて、しかし、雪路は凛《りん》としていた。

「私どものことは御案じのう……」

供の者達にてきぱきと指図をしはじめたのを見て、新八郎は入口へ向った。

治助が用心深く閉めておいた心張棒《しんばりぼう》をはずし、それを手にしてすばやく外へ出る。

月光の中に土屋兵介は立っていた。

「加賀様がおみえなのか」

という声が、こわばっている。

「そうだ」

「このような夜更けに……」

「急用があれば、夜更けでも参られよう」

「急用とは何だ」

「それより貴公の用事を聞こう」

兵介が僅《わず》かに視線をそらせた。

「妹を引取りに来た」

「ほう」

「ここにいては何かと剣呑《けんのん》だ。小太郎ともども屋敷へ連れて行く。小太郎の身の廻りのものだけ持って出て来るように伝えてくれ」

新八郎が片頬に笑いを浮べた。

「成程、押田もそこに気がついたか」

「なんと……」

「小篠どのも小太郎も貴公には渡さぬ。何故ならば、小篠どのはすでに貴公の裏切りに気がついて居るからだ」

土屋兵介がふっと息を洩らした。とたんに抜き打ちであった。

どこかで女の悲鳴が上ったが、新八郎は相手がそう出るであろうことを予期していた。

身をかわしざまに、相手の背後に立つ。伸び切っていた兵介の腰を心張棒で突くと、たたらを踏んで川っぷちへ、そのまま、踏みこたえられずに水音を立てて落ちて行った。

「隼様……」

と呼んだのは雪路で、すでに一行は橋の袂《たもと》へ逃げている。

「行こう」

川へ落ちた兵介が気にならなくもなかったが、敵は兵介一人とは限らない。

一刻も早く、酒井讃岐守の屋敷へ走るのがこの場合、先決であった。

幸い、二条城の北にある酒井讃岐守の役宅までは、たいした距離ではない。

小太郎を背負った治助と小篠に雪路、それに雪路の供人をまじえた一行は新八郎に守られて、一目散に夜道を走った。

七

新八郎を迎えた酒井讃岐守の動きはすみやかであった。

まず、因幡薬師堂の、帝《みかど》の御寄進の御戸帳が内々でひきあげられ、三井の呉服方手代によって、その値が調べられた。

「手前どもなら、壱貫弐百匁にてお納め申します」

それでも、商いの採算は充分に合うという。

続いて、御戸帳を調製した近江屋が呼ばれた。

受取り書をみせられた主人と手代が顔面蒼白になって申し立てた。

「拾弐貫弐百匁とは滅相もない。手前共が頂戴致しましたのは、弐貫弐百匁でござります」

店の帳面を開いて反論した。

「拾の字は、押田様が加筆されたに違いございません。御所役人のお方はそのようなことをようおやりなさると、これはもう御所の御用を承る者はみな承知して居りますので……」

更に、壱貫弐百匁で調製出来る御戸帳に対し、倍に近い値をつけたのは、

「押田様より、そのようにせよとお指図があった故にござります」

余分の壱貫目の中、五百匁は押田が取り、近江屋は残りの五百匁が正規以外の儲けになる。

「なにせ、御所役人の方々は日頃からなにやかやと御無理なことをいうて来られますよってに……」

御所御用達《ごようたし》の店では、それが慣例のようになっていると白状した。

近江屋が緒《いとぐち》になって、続々と御所御用達の商人達が奉行所の取調べを受け、その結果、長年にわたる御所役人の不正が明るみに出て、京都所司代は幕府の意を受けて前代未聞の御所役人の粛清を断行した。

押田内匠の他、三名の与力職が死罪、遠島五名、中追放六名を出して、この一件は落着した。

同時に京都町奉行所のほうにも押田らに加担したとして、同心、土屋兵介を喚問したが、その兵介は新八郎達が酒井讃岐守の屋敷へかけ込んだ夜以来、行方知れずになっていた。

隼新八郎が晴れて江戸へ帰る日が来た時、京大路《みやこ》の楓《かえで》は、ぼつぼつ黄ばみはじめて居り、鷹司家の庭では百舌《もず》が鋭い声で啼《な》いていた。

そして、新八郎に同行する旅人はお供の治助一人ではなかった。

第二話　近江路にて

一

暁天には星がきらめいていた。

人々はまだしんと寝静まって物音一つ聞えない京大路を、隼新八郎は治助と小篠、小太郎の三人を伴ってひそやかに旅立った。

鷹司家にも、京都所司代酒井讃岐守に対しても、別れの挨拶《あいさつ》は昨日の中《うち》にすませていた。

もっとも、中仙道を通って江戸へ帰ると決めたのは、五日ばかり前のこと、その理由は小篠と小太郎を信濃の善光寺の近くに暮している小篠の両親の許《もと》まで送って行くためであった。

「もはや、京には住みとうございません」

という小篠の思いは、御所役人の不正事件が落着した際にかたまったようであった。

禁裡付同心であった夫が、その不正事件の故に非業の死を遂げ、血のつながる兄にまで裏切られた衝撃からなんとか立ち直ろうとした時、暗い思い出の京を捨て、父母の住む故郷へ帰ろうと考えるのは、一にも二にも小太郎のためだと、新八郎は理解した。

実際、不正を行った御所役人は死罪、遠島、追放などの処分を受けたが、法の網から巧みにくぐり抜けた者がないとはいえない。

第一、やんごとなき御方の中には、世間知らずというか、大様《おおよう》というべきか、御所役人の不正によって禁裡の暮しむきが御不自由になっていたにもかかわらず、日頃、なんでも御自分達の頼みをきいてくれた役人の中から処罰される者が出たとお聞きになって、

「誰それは、まことに忠義者であった。何かの間違いではないのか」

と仰せになったり、

「なんとか、罪を軽くしてやることは出来ぬものか」

と内々の使が京都所司代まで来たりしている。

仕える御方が寛容なのをよいことに、御所役人の大方が、罪を受けた者を、

「あれは、運が悪かった」

で片付けてしまい、全く反省をしないばかりか、不正を摘発した者を逆怨《さかうら》みする始末で、

「この分では、御所役人のすべての首をすげ替えでもせぬ限り、御所の不正はなくなりはすまい」

と酒井讃岐守を慨嘆させたのであった。

そうした京の状況を見ると、不正摘発の殊勲者である伏木要一郎の未亡人と忘れがたみに、どのような魔の手が及ぶかも知れず、鷹司家のほうからも、新八郎を通じて、

「不愍《ふびん》なことにならぬよう、すみやかに京を去ったほうがよろしかろう」

と忠告されてもいた。

が、他人から何をいわれるよりも前に、小篠は京を去る決心をつけていた。

治助からその話を聞いて、新八郎は躊躇《ちゅうちょ》なく中仙道を帰ろうと思いついた。

東海道は五十三次、中仙道は六十九次だが、距離からすると中仙道が京から江戸ま

で百三十五里余、東海道の百二十五里二十丁と十里ほどしか違わない。

それに、御用旅の場合でも行きはともかく、帰りは往来の混雑を避ける意味から中仙道をえらぶ例が少くない。

小篠母子を信濃へ送りがてら、中仙道を通るのも悪くはないと思い、新八郎は早速、江戸の根岸肥前守に対して、その旨《むね》、御許しを乞う書状を出した。

新八郎からそのことを聞くと、小篠は喜びをあらわにした。

「本当に……もし、そのようなことがかないますならば、どのように有難いことか……」

いいさして涙ぐんでしまったのを見て、新八郎は改めて小篠の心細さに気がついた。

生まれてから京の外に出たことのない女が、幼子を伴って長い長い旅に出るのであった。

道中の不安は余りある。

治助も満足そうであった。

「なによりも、小太郎坊ちゃんが嬉《うれ》しがっておいででございますよ。これほど、旦那様になついていらっしゃるのですから……」

子供心にも事件に結着がついて、新八郎との別れが近づいているのを悟っていたと治助はいった。

「しっかりしたお子なのに、この数日は何かというと、すぐ涙ぐんで居りました。昨夜、小篠さんから、旦那様も一緒にという話を打ちあけられて、躍り上って喜んでいなさいました。手前もほっと致しました」

という治助も、中仙道の旅は初めてである。

「俺も木曾路を行くのは、初めてだよ。多分、紅葉が盛りだろう」

季節からいっても、東海道を来た時より、かなり寒いと思うので、そのつもりで身支度をしておくようにと、新八郎は江戸から届いた御手許金の中から適当な金を治助に渡した。

一件落着を知らされた根岸肥前守は早速、早飛脚で新八郎の許に充分すぎる旅の費用を送って下さったものである。

今度の探索に関して、酒井讃岐守からは新八郎に対して多額の恩賞が与えられたが、新八郎は、

「手前の功ではございません。なにもかも、亡き伏木要一郎どのの御手柄、並びに内々で探索にお力添えを頂いた加賀様のおかげでございます」

と固辞して受けなかった。

その代り、江戸へ向けて発つに当って、酒井讃岐守からは、

「これは餞別《せんべつ》である。辞退はならぬぞ」

と、金一封を頂戴した。

従って、新八郎の懐中は、日頃の彼に似あわず、かなり潤沢であった。

加えて、出立《しゅったつ》の前夜、小篠からも、

「まことに御迷惑とは存じますが、道中、不安心でございますので……」

と金十枚をあずかっている。

それは、やはり酒井讃岐守から亡き伏木要一郎の功績に対して妻子に下賜《かし》されたものであった。

小篠は旅立ちに際して、これまでの貯えの他に家財道具などを処分し、道中の入用はそれで充分なので、大枚の金子《きんす》は新八郎に持っていてもらいたい量見のようである。

粟田口《あわたぐち》で夜が明けた。

このあたりは三条大橋から続く三条通りの終りに当り、急な坂が続いていた。

昔から刀工が住み、三条小鍛冶《こかじ》の名にふさわしく、国綱や吉光などという高名な刀鍛冶の出た場所でもあった。

三条通りが尽きると蹴上《けあげ》で、千本松の中に社の建物が見える。

「小太郎、少し、休んで行こうか」

と新八郎が声をかけたのは日ノ岡峠で、暗い中から叩き起され、ひたすら道を急いで来たものの、少しも泣き言を洩《も》らさない小太郎の様子がいじらしかったからで、

「ここらで腹ごしらえをして行こう」

具合のよさそうな石をみつけて、まず小太郎をすわらせた。

出がけに小篠が握り飯の用意をし、治助も番茶を竹筒に入れていたのを見ていたからである。

まだ早朝のことで、旅人の姿は殆《ほと》んど見られない。

四人が握り飯の朝餉《あさげ》をすませた頃に、太陽は東の山ぎわから上って来た。

日ノ岡という地名にふさわしく、柔かな光があたりを照らし、今日の秋日和《あきびより》を約束するかのようである。

「いよいよ、京ともおさらばだな」

朝靄《あさもや》の中に姿を現わしかけている京の町へ向っていいながら、新八郎は、ふと、雪路《ゆきじ》はどうしているだろうと思った。

昨日、鷹司家へ挨拶に行った際、雪路は禁中から下って来ていた。関白家の用人、

細川幸大夫が気をきかせて連絡をしておいたからだったが、新八郎が改めて別れの言葉を述べると、雪路は突然、泣き出してしまって、当人は必死で涙をおさえようとするのに、後から後からとめどもなく流れ出し、とうとう、立ち上って新八郎の前から逃げ出してしまった。

「加賀様には十二、三からの御所仕えで、日頃、あまり世間をごらんなさることはなく、それ故にこそ、新八郎どのの探索に加担して京の寺々をお歩きなされたのは、忘れ難い思い出となって居られるのでございましょう」

と細川幸大夫がいったが、新八郎にしても、如何《いか》にも京女らしい雪路の案内で炎天下の京の町を歩き廻ったのは、今にして思えば、ただ、なつかしい。

なんにしても、二度と会うことはあるまいと思えた。相手は関白家の一族の姫君なのである。

日ノ岡峠を下ったところに亀ノ水不動尊があった。

すでに堂守《どうもり》が新しい蠟燭《ろうそく》に火を点《とも》して居り、祠《ほこら》の中の不動尊の姿が明々と浮び上っている。

小篠母子と治助がぬかずいて合掌し、新八郎もその背後で頭を垂れた。

御堂の前には大きな黒石で出来た亀が口から水を吐き出している。近くの流れをひいたものらしいが、よく出来ていると新八郎は眺めた。

「京へ入る時は、この亀にも気がつかなかったな」

参詣を終えて戻って来た治助にいうと、

「新八郎様は、どうも神社仏閣にも名所旧蹟にも関心がおありではないようで……」

東海道中も、ただ、まっしぐらに京までたどりついた感じだと笑っていう。

「そうか、そいつはすまなかったな。せめて帰りは神妙におまいりをして行こう」

と新八郎が答えたのは、治助のような年頃の者にとって、名所を見物し、寺まいりをするのは旅の大きな楽しみだと遅ればせながら気がついたからである。

治助も勿論《もちろん》だが、小篠母子にしても、今度、信濃へ行ってしまったら、二度と京へ戻ることはあるまいし、中仙道を旅するのも、まず滅多には出来ないに違いない。

それを思えば、中仙道では少々の所には足を止める心くばりをしようと新八郎は考えていた。

とはいえ、新八郎の知識では、どこにどんな名所旧蹟があるのやら、霊験あらたかな社寺が建っているのか見当もつかない。

「おい、どこか参詣に寄りたい所があったら、遠慮せずにいえよ」

歩きながらいったが、治助も小篠も笑ったばかりで返事をしない。

道は天智《てんじ》天皇の御陵を過ぎ、山科《やましな》から追分へ入った。

やがて琵琶湖が見えて来る。

大津の宿場町は、その昔、天智天皇が大津京を開かれた地だが、今は琵琶湖の水運の基地として栄えていた。

北国《ほっこく》のおびただしい物産が大津の港に運ばれて、東西へ分れて行く。

大津は本多隠岐守《おきのかみ》六万石のお膝下だが、城は膳所《ぜぜ》にあった。

この城は湖に突き出したように建てられていて、遠くから眺めると水に浮んでいるかに見える。

「きれいなお城でございますね」

小篠が感心し、新八郎はその近くの茶店で昼食《ちゅうじき》にすることに決めた。

京を出て三里、新八郎の足では何ということもないが、小篠も小太郎も懸命に歩いて来た。旅の最初は無理をせぬことだと、新八郎は自分にいい聞かせながら、ゆったりと膳所城を眺めた。

昼餉の後は勢田唐橋《せたのからはし》を渡る。

ここでも新八郎は橋の袂《たもと》に足を止めて、小太郎に俵藤太《たわらとうだ》の百足退治《むかで》の話をした。

昔、勢田の橋の下に竜宮城があり、竜が棲《す》んでいた。ところが三上山《みかみやま》に百足がいて、これがしばしば竜をおびやかす。或る時、俵藤太秀郷《ひでさと》という者が、この勢田橋を通ると橋上に一匹の竜がとぐろを巻いていた。俵藤太はおそれもせずにその上を跳び越えて行った。竜はそれを見て、俄《にわ》かに人間の姿になり、俵藤太を呼び止めて、三上山の百足の話をし、退治してもらえないかと願った。俵藤太はそれを承知し、夜になるのを待って見ると巨大な百足が三上山に姿を現わし、眼からは光を放ちながら湖へ近づいて来る。

俵藤太は直ちに弓に矢をつがえ、二筋まで射たが、百足に命中したにもかかわらず、矢ははじきとばされて百足には全く効力がない。

さらばと、俵藤太は三の矢に唾《つば》をつけ、これを百足に向けて射ると、矢はあやまたず百足の両眼を射抜き、すさまじい叫びと雷鳴を残して百足は滅びたという。

竜神は大いに喜んで、俵藤太にさまざまの宝を贈ったが、その中の釣り鐘は今も三《み》井《い》寺《でら》にある。

新八郎の話を小太郎は目を輝やかして聞き、小篠と治助も感心している。

「どうして、唾をつけた矢で百足がやっつけられたんやろか」

不思議そうな小太郎に、新八郎は笑った。

「昔から百足は人間の唾に弱いといわれるのだよ。百足に刺されたら唾をつけろなどというのだがね、果して本当に効き目があるかどうか。とにかく、これはいい伝え、おとぎ話のようなものなのだ」

そういう新八郎も、子供の頃、母からこの話を聞かされたもので、後年、母と共に京へ来た時、この橋の袂の竜神社へおまいりをしたものだと思い出していた。

あれは、根岸肥前守が勘定奉行の時、京都の大火の後、二条城や皇居の修復工事の監督を承った時のことであった。

京に滞在中、肥前守がわざわざ使をよこして、新八郎と母に上洛を命じたのは、老いた母に京見物と伊勢参宮をさせたいお気持からであった。

母があの旅をどれほど喜んだかを思い、暫《しばら》く新八郎は橋の下を流れる勢田川に昔をなつかしんだ。

道の右手に石山寺《いしやまでら》の山門がみえた。

「おい、ここも有名な寺なのだろう。参詣して行こう」

新八郎が先に立ち、小太郎がもの珍らしげにあたりを見廻しながらついて行く。

参道には桜並木が続き、赤や黄に染まった葉が穏やかな秋の風情であったが、その先は峨々《がが》たる岩山であった。

奇岩巨石が天へ向けてそそり立ち、その間に紅葉が西陽に映えているのは、息を呑《の》むほど美しい。

道が突き当ると天狗杉と木札に書かれている大木があってその右の石段を上り切ると拝殿に達する。

周辺はやはり岩山で、たまたま参詣客に話をしていた坊さんの説明によると、それらの群立する石の峰は、みな一つの岩盤から成っていて、長い年月、雨の浸蝕でそのような形状になったものだという。

「俺は不信心で何も知らぬが、この寺は何で有名なのだ」

けっこう参詣人の多いのを見廻して、新八郎がそっと治助に訊《き》き、返事の出来なかった治助に代って、小篠が遠慮がちに教えた。

「こちらは西国巡礼十三番の御《お》札所《ふだしよ》でございます。聖武《しようむ》天皇様が良弁《ろうべん》僧正様にお命じになって伽藍《がらん》を建立《こんりゆう》させたということで、でも、私共は紫式部が、源氏物語を書く前に参籠《さんろう》したお寺と申すほうが親しみやすうございます」

お仕えしている中宮彰子《しようし》のために、よき物語を書くことを命ぜられた紫式部が、ここに籠《こも》って祈願したのだと小篠は少しはにかんで話した。

「一度、おまいりにと思って居りましたが、その折もなく、今日、夢がかないました」

という小篠に、新八郎はやはり立ち寄ってよかったと思った。

それにしても、紫式部にせよ、源氏物語にせよ、その昔、母の口からそのような名前を聞いたことはあるものの、無骨者の新八郎には、今一つ、ぴんと来ない。ただ、中宮に仕える女房というからには、雪路のような女官なのでもあろうかと納得した。

「話には聞いていましたが、これは大層なお寺で……、石の峰に囲まれているところから石山寺と呼ばれたのでございましょうね」

治助は何度もあたりの光景をふり返り、小篠は道に落ちていた紅葉を一つ拾って、懐紙の間にしまっている。

そこから草津の宿《しゅく》まではすぐであった。

京を発つ時の新八郎の心づもりでは、旅の第一夜は草津ぐらいにしておいたほうがと考えていたのだったが、その一つ手前の矢倉《やぐら》宿で姥《うば》ケ餅《もち》というのを買ってもらって食べた小太郎は元気がよくて、まだ歩けるという。

草津は東海道と中仙道の分れ道で、宿は多いが、その分、人で混雑している。

治助と小篠に、

「守山まで、あと一里半だが……」

と相談すると、

「まだ、陽も明るうございます。参りましょう」

という返事であった。

だが、その最後の一里半が、けっこう女子供の足にはこたえたらしい。守山宿の手前で、新八郎は小太郎の様子をみて、背負った。余程、辛抱して歩いていたものか、おぶって間もなく寝息が聞える。

「申しわけございません。さぞ重とうございましょう」

とすまながっている小篠も、やや足をひきずるようにしはじめていた。

秋の陽は釣瓶《つるべ》落《おと》しで、守山宿へ入った時はもう暮れていた。

小間物屋という、およそ宿屋らしくない名前の旅籠《はたご》に着いてみると、良い具合に客は少くて、六畳二間《ふたま》続きの部屋に案内された。

早速、一方の部屋に布団を敷いてもらって、まだ目のさめない小太郎を寝かし、新八郎から順に湯に入る。その中に、小太郎も起きて、四人揃って膳を囲んだ。

「どうも俺はせっかちでね、旅に出ると先へ先へと急ぐ癖がある。明日からは気をつけよう」

と新八郎がいい、小篠が頭を下げた。

「私共のことを御考え下さるのは有難とう存じますが、物見遊山の旅でないことはよく承知して居ります。あまり、お気遣い下さいませんように……」

石山寺へ寄ったことをいっているのだとわかって、新八郎は苦笑した。

「その通りだが、社寺に参詣して行くのも道中の無事に御利益があるのではないかな。小篠どのこそ、窮屈に考えられぬほうがよい」

飯が済むと二つの部屋に分れた。

新八郎は治助と、小篠は小太郎と各々の布団に落付くと、忽《たちま》ち深い眠りに落ちた。

翌朝はやや、ゆっくりと宿を発った。

昨夜、小篠から紙に包んだ金を、自分達の入用にと渡されていたが、新八郎はそれに手をつける心算はなかった。

それよりも、これは道中、少々、厄介だぞと思ったのは、宿のほうが小篠と小太郎を新八郎の女房子と早合点していることであった。

たしかに、武士が妻子と供を伴っての旅と見えないこともない。

といって、宿に着く度に、これはそうではないと説明するのも奇妙であった。

野洲《やす》川は舟渡しで、この川水は琵琶湖へ流れ込む。

幸い、今日もよく晴れて暑くも寒くもない、旅にはうってつけの陽気であった。

子供というのは疲れても回復が早く、小太郎は道々、赤とんぼをみつけては走り廻って母親から叱られている。

途中、鏡山宿《かがみやまのしゅく》では、治助が牛若丸の話を小太郎にしていた。

源義経が、まだ牛若丸といった時分、この鏡山宿に泊った夜、強盗が押し込んだのを、ことごとく退治したというもので、新八郎も子供の頃に聞いたおぼえがある。それにしても、治助がそんな話をするのは珍らしく、感心して聞いている小太郎の様子も微笑《ほほえ》ましかった。

昼餉は武佐《むさ》の宿場へ入ってからになった。

守山からは三里半、鏡山宿で少しばかり休んで来たので、飯時《めしどき》からは少々、遅くなっている。

田楽《でんがく》に菜飯《なめし》という素朴な昼飯を食べていて、新八郎は、ふと、その子供に気がついた。

茶店の外の大きな楠《くすのき》に寄りかかるようにして、こっちをみつめている。

その子の視線の先は、小太郎の食べている菜飯だと気がついた時、小太郎が顔を上げて母親にいった。

「あの子、腹が減っているんやろか」

たしかに、新八郎が見ても、その子の表情は空腹に耐えかねているようであった。

しかし、身なりは悪くない。

年齢は小太郎と同じくらいか。

こちらから見られていると知って、その子は恥かしそうにそっぽを向いた。だが、それも束の間、視線は正直に菜飯や田楽の上に戻っている。

小篠がそっと近づいた。

「坊や、よかったら、これをおあがりやす」

まだ手をつけていない田楽の皿をさし出した。それを見て、

「待ちなさい。今、同じものを頼むから……」

新八郎が茶店の奥をふりむいたが、小篠は、

「いえ、私はこんなにたんとは頂けませんよって……」

子供の肩を押すようにして縁台のすみにすわらせた。

「かまへん、おあがりやす」

再度、勧められて子供は箸《はし》を取った。余程、ひもじかったのだろう、がつがつとした食べ方だが、さほど品が悪くない。

治助が菜飯を一椀もらって来て、子供の前においた。子供は顔を上げ、治助にぺこりと頭を下げて、今度はやや落付いて食べはじめる。

それを見て、新八郎達も再び、箸を取った。

「坊やはいくつ」

新しい茶碗に茶を注《つ》いでやりながら小篠が訊くと、

「六つ……」

素直な返事が戻って来た。だが、それ以上、何か訊かれるのを拒むように、ひたすら飯を食い続ける。

食べ終えて、茶を飲み、立ち上って、

「ごちそうさまでした」

と礼をいうと、先を急ぐようにとっとと街道を歩き出す。

いささかあっけにとられて、新八郎達はその後姿を見送ったのだったが、新しい茶を汲んで来た茶店の婆に、

「今の子は、この近所の者か」

と訊くと、

「いいや、みかけねえ子や」

首をふる。

遠くから来たようには見えなかった。足には草履《ぞうり》、手には何も持っていなかった。

「迷子にでもなったのでしょうか」

と小篠がいったが、それらしくもなかった。

男の子は自分の行く方角が、はっきりとわかっていた。迷う様子はまるでない。

「親の用事でどこかへ行く途中、銭を落したんじゃございませんか」

治助はそんな判断をしたようだが、新八郎には、それも今一つ、合点が行かない。

なんにしたところで、子供の姿はもう見えなかった。

やがて勘定を払って、新八郎達も茶店を出る。

子供の行った方角は越知川《えちがわ》の宿のほうで、それは新八郎達の向う方向でもあった。

中仙道はここ暫くは琵琶湖沿いに近江路を行くことになる。

「あの子、母上のこと見ていたんや」

いつの間にか新八郎の横へ来て、自分から手をつなぎながら、小太郎がいった。

「母上の顔をみて、泣きそうになっていたんや」

先刻の子のことだと思い、新八郎は訊いた。

「小太郎は、いつ頃から、あの子に気がついていたんだ」

「茶店へ入って、すぐや」

「ほう……」

「俺達が入って行った時、あの子は母上を見て、かけよって来たんや。けど、途中からやめて、あの木の下へ戻って行った……」

「すると、小太郎の母上を誰かと間違えたのかな」

「自分の母上と思ったんやないかな」

年よりもませた口調でいい、小太郎が小さな肩を聳《そびや》かす。

「すると、あの子は、母上とはぐれたのかも知れないな」

小太郎が黙った。

「違うと、思うか」

「わからんけど、なんや、違うような気もする」

「成程」

この子は勘が鋭いと新八郎は改めて感心した。

実をいうと、新八郎も小太郎と同じく、茶店に入った時、あの子供が小篠へ近づいて来る姿を目のすみに入れていた。

男の子はおそるおそるといった様子で小篠をみつめていた。そして、がっかりしたように茶店を出て行った。

その後、新八郎が気づいたのは、楠の下から、飯を食っているこっちを眺めている子供の様子であった。

たしかに、あの子の小篠への近づき方は、はぐれた母親と間違えて、かけ寄って来たのとは異っていた。

といって、では何なのだと思案してみても、新八郎にも適当な答えは浮んで来ない。

道は老《おい》その森へ出ていた。

老そ、は老曾とも老蘇とも書くが、奥石《おいそ》神社の森であった。古来、時鳥《ほととぎす》の名所といわれ、歌枕としても名が高い。

平地だが、杉の大樹が鬱蒼《うっそう》と茂り、その間に赤く染まりはじめた木々や、この季節になっても葉の落ちない椎《しい》の木や榊《さかき》、樟《くす》などが思い思いに枝を伸ばしているので、その間を行く道は昼でもほの暗い。

神前にぬかずいた時、どこかで人の叫び声がした。

見廻したが、人の姿はなかった。

「なんでございましょう」

治助が木々の間を透してみるようにし、小太郎が指した。

「あそこや」

太い杉のむこうに、人影が動いた。

逃げ廻る子供を、三人の大人が追い廻している。

新八郎はそっちへ走った。

子供は先刻の男の子であった。ぜいぜいと荒い息を吐き、必死で男達の手から逃れようとしている。新八郎の姿をみると、わあっと声を上げて救いを求めた。

子供を背後にかばい、新八郎は相手を見た。

三人の男は、いずれもやくざかごろつきか、まともな稼業とはいいかねる人相風体である。

「お武家さん……」

その中の一人が、新八郎へ小腰をかがめた。

「勘違いをしたらあかんで……、わしらはこの子の親に頼まれて探しに来たんや」

新八郎は三人を等分に見た。

「この子の親とは、どこの誰だ」

反問されるとは思わなかったのだろう、相手はぐっと詰って、今度は威丈高に喚《わめ》いた。

「そないなこと、どうでもよろし。その悪餓鬼が帳場の金をくすねて遊びに出たさかい、連れ戻してくれといわれたんや。早《は》よう連れて帰らんことには陽が暮れるで……」

「おかしなことを申す奴だな」

新八郎は自分の背後にぴったりついている子供の肩を、左手を廻して軽く叩いて安心させた。

「この子は、ついさっき武佐の宿場で腹をすかせていた。金をくすねて逃げて来たのなら、饅頭《まんじゆう》一個、ぼた餅一包み、買えないことはあるまい。子細をこの子に訊くまで、そこで待つがよい」

無言で一人が匕首《あいくち》をひらめかした。

それが届く前に、新八郎は子供を抱えて跳んでいた。

「新八郎様」

治助がすばやく、かけ寄って子供を受け取った。

「人さらい奴《め》、正体あらわしたな」

音もなく新八郎が大刀を鞘走《さやばし》らせた。

「街道筋を荒らす雲助ども、成敗してやる」

新八郎が一足出ると、三人は反射的に逃げ出した。見ていると武佐の宿場のほうへまっしぐらに走って行く。

ふりむくと、男の子は茫然と突立っていた。

「お前、家を出て来たのか」

新八郎が訊くと、僅《わず》かに頭を振った。

「家は武佐か」

「違う」

「では、どこだ」

「守山……」

「ほう。なんで出て来た」

「げんぞうに、つれ出された……」

「げんぞう……」

「番頭です」

「なんで、連れ出された」

「おっ母さんが来ているというから……」

「うむ」

「でも、嘘で……。御堂みたいな所へ閉じこめられて……外で、あいつらが話しているのを聞いて、逃げ出した」

「どうして、家へ帰らなかった」

男の子が顔中を涙にした。

「お父つぁんは、俺のいうこと、信じない」

「そうか」

森の中の道を旅人が来た。

伊勢参宮の帰りらしく、十人ばかりの一行である。

それをやりすごしてから訊いた。

「それで、お前、これから、どうする」

「おっ母さんのところへ行きます」

決心のついている声であった。

「おっ母さんは、どこにいる」

「中津川というところです」

すがるような目を新八郎に向けた。

「お侍さんは、どっちへ行くんですか」

「中仙道だが……」

「中津川のほうですか」

「通り道だが……」

「連れて行って下さい」

泣き声であった。

「お願い申します。中津川まで一緒に行ってもらいたい……」

「そうしてやりたいが……」

事情のわからぬ子供を、いいなりに伴って行くのは、流石《さすが》にためらわれた。

「この近くに、お前の知り合いの家はないのか」

しんとうつむいている子供にいった。

「なんなら、宿場役人に事情を話してみてもよいが……」

子供が新八郎を睨《にら》んだ。

「いいよ、もう、頼まない……」

森の道を武佐の方角へ走って行った。

「大丈夫でございますかね」

心配そうに治助がいい、新八郎は遠ざかって行く小さい後姿を眺めた。

「わけもわからず、連れては行けまい」

「それはそうでございます」

複雑な事情を抱えた家の子供のようであった。それにしても、堅気の親がみるからにいかがわしい連中に、子供の追手を頼んだというのがおかしいし、今の子供が口にしたように、もし、げんぞうという番頭が欺して連れ出したのなら、尚更、厄介な事情がありそうであった。

とはいえ、いつまでも、森の中に突立っているわけにも行かず、新八郎は思い切るようにして歩き出した。

治助も小篠も小太郎も、黙々とついて来るが、その足取りが重たげなのは、一日の疲ればかりではなさそうであった。

この日は高宮までと思っていたのを、新八郎は越《え》知《ち》川《がわ》の宿で旅籠についた。それでも六里を歩いたことになる。

小太郎はえらくしょんぼりしてしまって、母親と湯に入って来ると、飯もろくに食わずに眠ってしまった。

小篠も治助も口には出さないが、別れて来た男の子のことを考えているらしいのが、新八郎にはよくわかる。

新八郎にしても、少からず後悔の念が湧いていた。

今頃、あの子はどこでどうしているかと、布団に横になってからも、しきりに思う。

治助も同じ気持らしく、何度も吐息を洩らしていたが、間もなく眠ったようである。

新八郎のほうは明け方とろとろとまどろんだだけで朝を迎えてしまった。

けれども、朝餉をすませて旅籠を出、街道を宿場のはずれの一里塚まで来て、新八郎も治助、小篠、小太郎も思わず足を止めた。

そこに、あの男の子がすわり込んでいた。

汚れた顔や手足を見れば、昨夜は野宿でもしたのかと想像出来る。

むこうは新八郎達と目を合わせないように下をむいている。そのくせ、四人が前を通り過ぎると、そそくさと立ち上り、一間《いっけん》ばかりの距離をおいてついて来るのであった。

小太郎が何度も後をふり返り、新八郎は治助にいった。

「おそらく、昨夜から何も食っていないだろう。そのあたりで餅でもなんでも買って渡してやってくれ」

治助が心得て、道ばたの茶店へ入り、団子の包を持って出て来ると、うつむいて歩

いている子供の傍《そば》へ寄って、

「うちの旦那様が、お前にとおっしゃった。食べなされ」

子供の手に持たせた。

返事はなかったが、治助が新八郎に追いついてから、そっと背後を見ると、子供は団子を食べながら歩いている。

「このまま、ずっとついて来るのでございましょうか」

と治助は案じ顔でいったが、新八郎はそれならそれでよいと思っていた。

わけありげな子に、こっちから一緒に来い、中津川まで送ってやるとはいえないが、むこうが勝手について来るなら、飯ぐらい食わせてやるのは何でもない。

宿のほうはどうしたものかと思案したが、それは夜になってからと考え直した。第一、相手はどこまでついて来るのかもわからない。

それでも正直なもので、小太郎はすっかり元気がよくなっているし、小篠も治助も、ほっとしている。

道中は三日続きの上天気だが、気温は昨日より低い。

高宮の宿場で、新八郎が少し早い昼飼にしようとしたのは、ここから一里ばかりで多賀社があるのを知っていたからで、そちらを廻って鳥居本《とりいもと》へ出ようと思ったからである。

茶店へ入りかけると、後に続いていた子供は、困ったように足を止めたが、新八郎が、

「おい、坊主、一緒に来い。また、腹の虫が啼《な》き出しているだろう」

と笑いかけると、神妙に傍へ来た。

茶店の女が、風があるから奥の部屋へ上ったほうがよいと勧めてくれて、新八郎も草鞋《わらじ》を脱いだ。

空はまだ充分に青いが、たしかに風が出て来ている。

「お客さんは多賀社におまいりなさるかの」

昨日とあまり変りばえのしない昼飯を運んで来た、人のよさそうな女に訊かれて、新八郎は、その心算だ、と答えた。

「では、鳥居本へ出なすったら、赤玉を買うてお行きなさいまし。食当りにもよう効くし、お子《こ》衆をお連れなすっての旅には、きっとお役に立ちますでな」

「赤玉というのは、薬か」

「へえ、この街道を旅するお方は必ず買うて行きなさるでね」

女が去ってから、ふと、気がつくと子供が首からかけている守袋の中から小さな包

を取り出して小太郎にみせている。

包の中には赤い玉が何十粒か入っている。

「これが赤玉だ。おっ母さんが入れてくれたんだ」

小太郎に話しかけている子供の顔がいきいきしてみえる。

昨日からの重く、悲しげな様子が消えて、口調までがその年相応の子供っぽさになっていた。

新八郎が包を手に取って眺めた。赤い玉を包んであった紙は古ぼけていた。少くとも、母親がそれを我が子の守袋に入れてから、かなりの歳月が過ぎているように思える。

「ところで、お前の名前を聞いていなかったな。こうして一緒に飯を食う仲になったんだ。名前ぐらい教えてもよかろう」

新八郎にいわれて、子供はまぶしそうな目付をし、

「俺は、正之助《しょうのすけ》といいます」

はっきりした口調で答えた。

「おっ母さんの名は、おすみです」

と訊かれもしないのに続けた。

が、父親の名はいいたくない様子である。

飯の最中に、表の街道を馬が走って通る音が聞えた。

「まだ若い女やった。えらい急いで、どこへ行くのやら……」

座敷の外で、この店の夫婦が話している。

たしかに、女が馬に乗って宿場を走り抜けて行くというのは珍らしいと新八郎は思ったが、その時はあまり気にもかけなかった。

だが、正之助をみると、なんとなく落付かない顔をしている。

飯をすませ、再び足ごしらえをして街道を多賀社へ向う道へ折れた。

「人殺しだぞ」

という声が聞えて来たのは、半里ばかりも歩いた頃である。

前方に人が群がっている。

道の両側は尾花のそよぐ崖《がけ》であった。

そのむこうは、すでに稲刈の終った田が広がっている。

「人殺しだぞ」

という叫びは、明らかにその田のほうからたて続けに起っていた。

二

新八郎が足を止め、治助が近づいた。

「手前が聞いて参りましょう」

この道は高宮宿の中央から東へ延びる多賀大社の表参道の中であった。

高宮宿を出はずれてから少々、田畑の間の道が続くが、その先は門前町である。

本来、清浄であり、穏やかな土地柄に、人殺しの叫び声は似合わない。

治助が道の脇の崖下に集っている人のところへ行った。やがて、戻って来て、

「殺されているのは、まだ若い侍のようでございます。眉間《みけん》にかなり目立つ黒子《ほくろ》があるとか……」

と報告したとたんに、小篠がはっとした様子を見せた。

「心当りがありますか」

新八郎に訊かれて低く答えた。

「まさかとは思いますが……」

「ひょっとして、禁裡にお仕えする……」

「はい、でも……」

「殺られた伏木要一郎どのの御同僚では……」

小篠が驚きを示した。

「どうして、それを……」

「いや、当て推量です」

京を発つ前に、所司代からも、鷹司家からも注意を受けていた。

御所役人の不正があばかれて、その主だった者が厳しい処罰を受けた後、それに連座した人々が摘発のきっかけになった伏木要一郎に対して逆怨《さかうら》みをしている。職を解かれ、追放になった者達が伏木要一郎の遺族に報復するという噂があるから充分、用心をするようにと聞かされていた。

だからこそ、京を去って信州の親許へ身を寄せるという小篠母子を送って中仙道を江戸へ帰ろうと決心した新八郎であったが、考えてみると怨まれているのは伏木要一郎だけではなく、自分もまた、彼らにとっては許し難い存在かも知れなかった。

江戸から主君、根岸肥前守の使として鷹司家へやって来て、たまたま、御所役人の不正を探索する破目になった隼新八郎だが、結果的には小篠母子に残された伏木要一郎の遺言の謎を解き、それが事件の証拠になった。

そういう意味では、新八郎も彼らに敵としてねらわれる立場にある。

治助に子供達とここに残るようにいい含め、新八郎は小篠と崖下からなだらかな坂になっている小道を上って行った。

そこは広々とした田んぼであった。

稲刈の終ったあとで、畝《うね》には不用になった案山子《かかし》がまだ片付けられないである。

野次馬が怖いもの見たさで取り囲んでいる中に武士が倒れていた。

右手に抜いた大刀を握りしめているが、その刀に血の痕《あと》はない。

血は倒れている侍の肩先からと左胸からおびただしく流れて、それもすでに固まりかけている。つまり、下手人はこの侍を袈裟《けさ》がけに斬り、胸を突いたものと見えた。

新八郎の背後から死体をのぞいた小篠が、蒼白になってよろめくのを、新八郎はしっかり抱きとめて、支えながらその場を離れようとした。

その耳に、近くで百姓を尋問している土地の御用聞きらしい声が聞えた。

どうやら、百姓は死体の発見者らしい。

「俺が田んぼへ上って行こうとすると、深編笠をかむった侍が下りて来たで、なんやおかしいと思いながら田んぼへ来たら、あのざまやった」

百姓は仰天して家へ逃げ帰り、人心地がついてから高宮宿へ知らせに行ったらしい。

「深編笠の侍は、どっちへ行ったんや」

「知らん。わしは何も知らん」

新八郎は、小篠を抱えて崖下の道へ戻った。

小篠が男の名を告げたのは、その途中で、

「岩田章吾《いわたしようご》というお方です、押田内匠の配下で……たしか、弟の健三郎という人が、押田の大層なお気に入りだと、殁った伏木が話したことがございます」

声は慄《ふる》えを帯びていたが、顔色はいつもの気丈な小篠に戻っている。

「わかった。小太郎には何もいわぬほうがよい」

参道へ下りて行くと、治助が不安そうにこちらを見ている。

「人殺しにかかわり合っても仕方がない。先を急ごう」

何か問いたげな小太郎の手をひいて、さっさと歩き出した新八郎に、治助と小篠、それに正之助の三人が続いた。

俗に、

「伊勢へ七度《ななたび》、熊野へ三度《みたび》、お多賀さんへは月参り」

などと謡《うた》われているように、多賀大社に対する庶民の信仰は厚く、この社に所属する坊人《ぼうにん》と呼ばれる人々が諸国を歩いてくばる延命長寿の御札《おふだ》でも有名であった。

神域は広く、社殿は神々しい。

参詣をすませ、門前町で名物の糸切り餅というのを小太郎と正之助に買ってやっている治助を待ちながら、新八郎はいったい何者が岩田章吾を斬ったのかと考えていた。

新八郎は面識がなかったが、小篠のいう通り、岩田章吾が押田内匠の配下だったとすると、御所役人の不正事件の首謀者として押田内匠が死罪になったからには、その配下の者もおそらく御役御免にはなったに違いない。

岩田章吾が京を追放になり、たまたま、このあたりへさしかかった際、何かの揉め事で斬り殺されたとも考えられなくはない。

しかし、岩田章吾の弟は、押田内匠のお気に入りだったという。

それを口にした時の小篠の表情からして、新八郎は、おそらく押田内匠の男色の相手ではなかったのかと推量していた。

弟の縁で、兄も押田内匠の恩寵を受けていたとは容易に想像出来る。

岩田兄弟が小篠母子、或いは新八郎に報復を考え、中仙道で待伏せを試みても不思議ではない。

だが、誰がその岩田章吾を殺害したのか、弟の健三郎というのは兄と行動を共にしていたのではなかったのか。

疑問は次々と新八郎の胸中に浮び上って来るものの、答えは全く出て来ない。

小篠も考え込んでいるようであった。

治助が二人の子と戻って来て、小太郎が糸切り餅をみせてから慌てたように治助に礼をいっているのが、いつもの小篠らしくなく、上の空に見える。

ともあれ、新八郎の一行は鳥居本宿への道を黙々とたどった。

風はやんでいたが、空は雲が増えていた。

宿《やど》に着くまで雨にならなければよいがと新八郎は思い、その宿をどこにするべきか迷っていた。

京を出てからの二日間は小篠や小太郎にはかなりきびしかっただろうと省《かえりみ》られた。

小篠は思ったより健脚で、しかも痛めないよう注意して足ごしらえをしているらしく、今のところ大丈夫なようだが、無理はさせないほうがいいに決っている。

新八郎が持っている中仙道案内によると、鳥居本から次の番場《ばんば》宿までの道には大磨《すり》針《はり》峠、小磨針峠があって、景色はいいようだが、山道の上り下りはけっこうこたえるに違いない。

場合によっては番場まで、空模様と母子の疲労具合がまあまあなら、三十丁先の醒《さめ》ヶ井《い》宿まで行ったほうが、宿は取りやすいかも知れないと思う。

鳥居本宿で一休みした。

彦根城下に近く、街道のところどころから湖水がのぞける。

決して宿場としては大きくないのだが、その割に旅籠の数は多かった。本陣も脇本陣も立派なのは、ここが中仙道と北国《ほっこく》街道、また朝鮮人街道との分れ道になっているせいでもあるらしい。

小篠と治助は早速、赤玉神教丸を売る大店《おおだな》へ入って薬を買っている。

そのあたりの家はみな立派で、白壁の塗籠《ぬりごめ》で卯建《うだつ》を持っていたり、連子《れんじ》格子《ごうし》がめぐらしてあったりする。

ふと見ると合羽《カッパ》を売る店があった。

新八郎がそこへ入って、新しい合羽を二枚買ったのは、小篠母子のためであった。

新八郎も治助も、江戸で用意した合羽を各々、荷物の中に持っているが、おそらく小篠母子にその用意はないと判断したからである。

治助がそれに気づいたようで、新しい合羽は治助の荷の中にしまわれた。

「ここからは山道になるぞ、みな足ごしらえを厳重にするように……」

新八郎が注意をして、各々が草鞋《わらじ》の紐を結び直しなどしているところへ、馬を曳《ひ》いた若い女が磨針峠の方角から戻って来た。

着ているのは赤い縞《しま》の袷《あわせ》だが、百姓女が野良仕事の時に用いるもんぺをつけているのは、おそらく馬に乗るためのものと見えた。

力のない足どりで歩いて来たのが、新八郎達のほうを見ると、はじかれたように、

「正之助」

と叫んだ。

その声で、治助に草鞋を履かせてもらっていた正之助がふりむいて、

「姉ちゃん」

泣き出しそうな表情になった。

「まあ、どんなに心配したか。よかった。無事でよかった」

正之助に近づいて肩を抱きしめている娘は、よく見ると面ざしに似たところがある。

「お前は、正之助の姉か」

新八郎が声をかけ、娘は改めて正之助を囲んでいる人々を眺めた。

「我々は京から中仙道を行く途中だが、武佐《むさ》の宿から、その子と道連れになった。な

にやら子細ありげなので案じていたのだが……」

娘が慌てて腰を折った。

「御礼があとになって申しわけねえことでございました。わたしは守山の野村屋という旅籠の娘でおよねと申します。正之助とは母親が違いますが、姉に当りますので……」

「すると、正之助は野村屋の悴《せがれ》か」

「はい。お父つぁんは安兵衛と申します」

「この子は、母親を訪ねて中津川へ行くといって居るが……」

およねが正之助にいった。

「姉ちゃんがいったろう。中津川へは必ず、姉ちゃんが連れて行ってやるから、もう少し辛抱しろって……なんで黙って一人で出かけたんじゃ。こちらさんに親切にしてもらわなんだら、とっくに行き倒れになっとったかも知らんに……」

正之助が大きくかぶりを振った。

「ちがう。げんぞうが欺したんじゃ」

「源造……」

「母ちゃんが来ているから、ないしょで会わしてやるって……」

「村はずれの御堂に入れられて……げんぞうのなかまが呼びに来て、げんぞうが出て行ったから、そのまに逃げ出して……」

「どうして家へ帰って来なかったの」

正之助が涙を膝にこぼし、代りに新八郎がいった。

「この子は、父親が自分のいうことを信じないといっていたぞ」

およねが唇を嚙みしめた。

「お父つぁんは、源造に甘いから……」

「源造というのは、番頭らしいが……」

「お父つぁんの弟です。年が十八も下なので、お父つぁんがかわいがっていて……お父つぁんが体を悪くしてからは、店のことを代りにやっています」

正之助にいった。

「姉ちゃんと一緒に帰ろう。姉ちゃんがお父つぁんに話をするから……」

姉の手を正之助が払った。激しく首を振る。

「姉ちゃんのいうことがきけないのか」

およねが気色ばみ、新八郎が制した。

「なんだって……」

「お前は、この子が破落戸《ならずもの》に襲われたのを知っているのか」

絶句しているおよねに、小篠もいった。

「その通りです。三人の男が逃げ廻る正之助さんをつかまえようとして、こちら様が正之助さんの話を聞くから待てとおっしゃったのに、いきなり匕首《あいくち》で突きかかって来て……でも、こちらが難なく追い払っておしまいになりましたんやけど……」

「正之助。誰や、お前の知った者《もん》か」

「弥助《やすけ》親分のとこの奴らや。名は知らん」

およねは途方に暮れたような目をしたが、すぐに気を取り直して正之助にいった。

「とにかく、姉ちゃんと彦根の伯父さんの所へ行こう。伯父さんに話をして、その上で姉ちゃんが正之助と中津川へ行く、それなら、いいな」

それでも正之助は不安そうだったが、およねはさっさと新八郎へむき直った。

「いろいろとありがとうございました。弟のことは、あたしがちゃんとしますので、どうか、もうお出かけ下さい」

新八郎が正之助を眺めた。

「姉さんがああいっている。お前はそれでよいのか」

返事はなく、正之助はただ、ぽろぽろと泣き続けた。その弟の涙をおよねは手拭で拭いてやり、新八郎に軽く会釈《えしゃく》をした。かまわず行ってくれという意味だとわかって、新八郎にしても、それ以上、どうすることも出来ない。

「では、行くぞ」

思い切って歩き出し、治助と小篠母子がそれに続く。

背後で正之助が大声で泣くのが聞えていたが、新八郎はふりむかなかった。

見る限り、およねという娘はしっかり者のようであった。弟を心配して馬で追って来たことといい、弟に寄せる情愛も偽《いつわり》ではない。

ただ、野村屋にはおよねにもわかっていない複雑な事情があるようで、それが不安といえば不安なのだが、旅の途中ではあり、新八郎の立場では、これ以上、かかわり合うことが出来ない。

第一、今日は、押田内匠の配下だったという岩田章吾の斬り殺された姿をみているのであった。

もし、京から報復のための追手がかかっているとしたら、この先、小篠母子を守っての道中はかなり危険が伴うに違いない。

そうした旅に正之助を中津川までとはいえ同行するのは避けるべきだと新八郎は考えていた。

街道は山路にかかっていた。

桜は里から始まり、紅葉は山から染まり出すというが、たしかに街道沿いではまだ青々としていた柿の実が、山ではもう黄ばみ出している。それでも鳥が突つきもしないのは渋いのを承知ということか。

山肌に沿った道は細かった。ゆるやかにまがりくねっているので見通しは悪くないが、先頭を行く新八郎は用心を怠らなかった。

いつ、出会い頭に斬りかかって来る敵があるか知れない。

通行人はあまり多くなかった。

すれ違って行くのは商人が目立つ。諸国へ行商に出かけた近江《おうみ》商人が故郷へ帰って来たところでもあろうか。

新八郎の後を小篠が行き、小太郎は治助が手をひいていた。

漸《ようや》く、峠に出た。

「城がみえるぞ」

新八郎が指す彼方には彦根城が、そのむこうには琵琶湖が広がっている。

山道を上り切ったところに、望湖堂という峠茶屋があった。

彦根藩主の建てたもので、この道を往来する諸大名や朝鮮人使節の休息のためだが、ごく一般の旅人も憩《いこ》うことが出来る。

「中仙道随一の眺めというだけあって、流石《さすが》、見事だな」

新八郎が感心し、治助はやれやれと肩の荷を下している。

茶店では名物だというすりはり餅を注文し、珍らしく新八郎も食べた。

思った以上に素朴で上品な味に、新八郎は主君、根岸肥前守を想った。餅は殿様の大好物で、江戸にいる時は始終、どこそこの店の餅が旨《うま》いらしいからと、新八郎が買いに出かける。

「お侍が餅などお買いになるのは可笑《おか》しゅうございます。わたくしが参りますから……」

とよくお鯉にいわれたが、新八郎は全く苦にならなかった。子供の頃から母に命ぜられて、殿様の好物を買いに行っていたせいかも知れない。

「正之助さんはどうして居りますかね」

治助が茶を飲みながら呟《つぶや》き、新八郎は苦笑した。

「実の姉がついているのだ。そう心配するほどのこともなかろう」

小篠もいった。

「彦根の伯父様というお方が、よいお人やとよろしおすなあ」

たった二日足らず、道中を共にしただけなのに、やはり、情が移って何かと不安になるのも旅の空ならではかと新八郎も思う。

が、こちらもそれどころではないと思い直して、新八郎は小篠に訊いた。

「押田内匠の配下についてだが、とりわけ昵懇《じっこん》にしていた者の名前などはわかるか」

小篠が顔色を改めた。

「私が存じて居りますのんは、岩田健三郎……」

「岩田章吾の弟だな」

「はい」

「年齢《とし》は……」

「たしか、十九……」

「背恰好は……」

「殿方にしては小柄で華奢《きやしや》にみえます……」

「他には」

「一番の腹心は山下権六《ごんろく》、御酒と女には目がなくて、癖が悪うございました。腕自慢、力自慢で、おまけにごますり上手……好かない人やと思うてました」

年齢は四十を少し過ぎているが女房子はいないという。

「油断のならんのは佐々木辰之助《たつのすけ》と宮本光次郎《こうじろう》やと聞いておりました。二人とも、御所役人の中では屈指の遣《つか》い手《て》とか。新陰流《しんかげ》をよくするとやら。押田の護衛役やと夫はいうてました」

どちらかといえば、御所役人は算勘に秀でた者のほうが多いが、それでも御所を警固する役目柄、武芸に秀でた者も必要で、とりわけ、同心の中には腕自慢が少くないらしい。

「私の存じて居りますのは、そのくらいで……」

つまり、鳥居本宿の近くで殺害されていた岩田章吾を含めて五人が、押田内匠の配下として幅をきかせていた。

「その五人は、いずれも御役御免になったのでしょうな」

新八郎の問いに、小篠は暗い顔でうなずいた。

「たしか、そのように聞いて居ります」

ということは、彼らも亦《また》、押田内匠の威光をかさに着て、さまざまの悪事を働き、利益を得ていたに違いない。

「洩れ聞いたことでございますけど、押田が世にある頃、五人の誰かが店の暖簾《のれん》をくぐると、どのような大商人でも御菓子と称して、少くとも銀三百匁《もんめ》以上はお包みせんならんということやとか」

上方の銀三百匁は江戸でいうと金約五両に相当する。

一軒の富商に顔を出すたびに五両の包金をもらうというのは、とんだことであった。

どれほど、押田一味が京の町に跋扈《ばっこ》し、不当な金を得ていたかがよくわかる。

逆に彼らのほうから見れば、それだけ恵まれた暮しが一朝にして失われたのであった。

正義からいえば当然だが、押田の配下であった男達に正義などといっても通用はしない。

自分達を破滅に追い込んだ人間に憎悪の牙をむき、直ちに殺戮《さつりく》の剣をふり下す。

事実、小篠の夫、伏木要一郎はそれによって、彼らに暗殺されたのであった。

山の風が冷たさを増し、新八郎は慌てて立ち上った。

番場宿までは、もう一つ、小磨針峠を越えねばならない。

山はいったん下り道になる。

「気をつけろよ。上りよりも下りのほうが足を痛めやすいというからな」

小篠や小太郎に声をかけ、急ぐ気持を押えて、ゆったりと進んだ。

間もなく、再び上り道になる。

小磨針峠へかかるところで、新八郎は小太郎を背負った。それも刀の下げ緒でしっかり背にくくりつけたのは、万一、敵が現われた時、両手が使えるためであった。

すでに秋の陽は西空へむいている。

時折、すれ違う旅人は、みな急ぎ足であった。

峠にたどりついた時、新八郎は遥かな前方の谷あいの道を深編笠の武士が下りて行くのを目にした。

はっとして路傍まで寄って見下したが、すでに姿はない。

「旦那様、何か……」

治助が傍に来て、新八郎は笑った。

「いや、なんでもない」

深編笠をかむって道中する武士は珍らしくなかった。

どちらかといえば新八郎は笠の類が嫌いで、よくよく必要でもないと二つ折りに出来る武家用の道中笠は治助の背中にくくりつけられたままである。

だが、武士の誰もが新八郎のような笠嫌いとは限らないので、とりわけ道中は風よけ、埃《ほこり》よけのためにも笠を着用するほうが普通でもあった。

深編笠の武士が谷あいの道を行ったからとて、今日、鳥居本の殺人現場で百姓がいっていた深編笠の武士と結びつけるのはどうかしていると、新八郎は自分をたしなめた。

旅はまだ始まったばかりであった。

今から、神経をとがらせていては、さきざきが思いやられる。

常に平常心であれ、というのは主君、根岸肥前守のお口癖であったと、新八郎は自分をいましめた。

二つの峠がやがて終るというあたりで人がさわいでいた。

近づいてみると、炭焼きの百姓らしく、二人とも背に炭俵《すみだわら》をしょっている。

新八郎達をみると、よろめきながら走って来た。

口を開けているが声は出ず、一人が指で前方の草むらを示す。

「どうした」

といった新八郎に、

「人……人が……人が……」

と焦点の定まらない目になって叫ぶ。

新八郎の勘がそれが何であるかを悟った。

「ここを動くな」

治助と小篠母子をそこへ残して、指された方角へ近づいた。

そこは道がやや広くなっていた。

猟師や炭焼きが山から下りて来る杣道《そまみち》が街道にぶつかっているためなのだが、そこに武士が倒れていた。

用心深く、新八郎は近づいた。

宙を睨んだ顔は驚愕《きょうがく》にゆがんでいた。

肩から斜めに斬り下げられ、胸を突かれている。

岩田章吾の刀傷と似ていた。

絶命してまだ間もない証拠に、体には温《ぬく》みが残っている。

呼んだわけではないのに、小篠だけが傍へ来た。

「この者の顔を御存じか」

新八郎に声をかけられて、無言で合点した。

「名は存じません。でも、ずっと以前に、押田の使で私共へ参ったことがございます」

「すると、押田の奉公人でしょうか」

新八郎が小篠を助け出しに押田家へ入った時にはみかけなかった顔である。

「とにかく、行きましょう」

炭焼きの二人に、里へ下りたら役人に知らせるようにいい、新八郎は治助達をうながしてその場を離れた。

小篠は蒼白になって、新八郎の傍から離れない。

「いったい、誰が……」

低く、かすれた声で呟くのが耳に入ったが、新八郎にしても、答えることが出来ない。

胸に浮ぶのは、谷間へ下りて行った深編笠の武士だが、迂闊《うかつ》にそれを結びつけるのは危険だと承知もしている。

雨が落ちて来たのは、番場の宿へ入ってからであった。

すでにあたりは暗くなっている。

小太郎は新八郎の背中で何も知らずに眠っているが、小篠は勿論、治助までが不安で足が地につかなくなっていた。

うつば屋という、この宿場では上等とみえる旅籠に新八郎は草鞋を脱いだ。

宿はほどほどに混んでいて、八畳ほどの部屋に四人で入ってくれという。

新八郎は承知して、案内の主人の後に続いた。

奥まった部屋は二方が壁で、隣の部屋は多賀社へ参詣に行く信州の名主《なぬし》仲間が入っているとのことであったが、開けはなしてあった障子からのぞけた部屋には老人が五人、おたがいに灸《きゅう》を下し合っている。

廊下をへだてた向い側の部屋には、武士の夫婦が入っていると、これは晩餉《ばんげ》の膳を運んで来た女中が教えてくれた。

「信州の飯田藩の御家来で大坂の蔵屋敷におつとめだったのが、お国許へ帰る途中だと」

信州の飯田藩といえば、伊那《いな》飯田二万石、堀大和守であった。

その夜、雨はかなり激しく降ったが、夜があけてみるときれいに晴れ上っていた。気温も昨日よりは暖かで、旅をする者にとってはこの上もない。

「お天気になってようございました」

手水場《ちょうずば》から戻って来た治助が嬉しそうに告げ、

「おむかいの部屋のお武家様は道中をお急ぎとみえて、只今《ただいま》、お発ちになりましたよ。御立派な旦那様とおきれいな奥様のようで」

と知らせた。

中仙道を通って飯田へ帰るのであれば木曾路から飯田街道へ出るのが普通だろうが、女房連れでの旅はけっこう大変に違いない。

新八郎の一行も続いて宿を出た。

番場宿のなかほどの右手に蓮華寺の参道が見えた。

鎌倉時代、南朝に敗れた六波羅探題《ろくはらたんだい》北条仲時ら主従がここまで逃れて来て遂に追いつめられて自刃したところで、山門前を今でも血の川と呼んでいると、今朝、出がけに宿の主人が教えてくれたが、新八郎は無論、立ち寄るつもりはない。

第一、小篠は血の川と聞いただけで顔色が悪くなっている。

街道は昨日にくらべて平坦であった。

山裾と田畑の間の道を行くと、僅《わず》かに色づきかけた楓《かえで》の並木が続く。

穏やかな風景が小篠の気持をやや落付かせたようで、道ばたで樫《かし》の実を拾った小太郎に母らしい声をかけていた。

醒ヶ井までは三十丁。

近づくにつれて湧水や川の流れがあって、醒ヶ井が古くから水明の地であるのがよくわかる。

川沿いの道を行きながら、治助がいった。

「次の宿場、柏原《かしわばら》は伊吹山《いぶきやま》の艾《もぐさ》が名産だそうでございます。少々、求めて参りたいと存じますが……」

その柏原の宿場までは一里半であった。

柏原を出はずれると近江国から美濃《みの》国への境を越える。

「間もなく近江路とはお別れだな」

新八郎が明るくいい、小太郎は赤蜻蛉《あかとんぼ》を追って走り出した。

第三話　美濃路を行く

一

柏原《かしわばら》は伊吹山の麓《ふもと》の宿場であった。

ここの名産は江戸でも名高い「伊吹艾《いぶきもぐさ》」で宿場へ入ると何軒もの艾を売る店が並んでいる。

治助はここで本場の艾を買うのを楽しみにしていたので、早速、亀屋という店へ入って行った。

連子格子《れんじごうし》の二階家で、どうやら二階のほうは旅籠《はたご》になっているらしい。

艾の包を並べた店は広くて右側に大きな福助の人形がおかれているのは、福を招くという縁起物か。左には伊吹山をかたどった置物が飾られている。

艾売り場に並んで、左手は茶店で、こちらには金太郎の人形があって、土間には縁台や腰掛が配置され、茶菓子や酒肴《しゅこう》などの用意があるらしい。

治助と小篠が艾を買っている間、新八郎は小太郎を伴ってその茶店で休んでいた。蓬《よもぎ》の入った餅があるので、小太郎に、

「食べるか」

と訊《き》くと、珍らしくかぶりを振る。

甘いものが好きで、新八郎に対して遠慮をしない子供が、食べたくないというのは、体に異変が起っている証拠だったが、子供を育てたことのない新八郎は全く気がつかなかった。

「まだ腹が減らないのなら、あとで食ってもいいな」

と竹の皮で包んだのを求めていると、治助が先に戻って来た。道中の用と江戸への土産の分と、かなりの量を二つに分けて荷の中にしまっている。

続いて小篠も買い物をすませたようなので、新八郎は蓬餅を懐中にして立ち上った。

今日の昼餉《ひるげ》は次の宿の今須《います》あたりでと考えている。

今須は美濃《みの》国の最も西の端の宿で近江国坂田郡の長《ちょう》久寺《きゅうじ》村と美濃国不破《ふわ》郡の今須

村が隣接している。

「漸《ようや》く馴れた銀勘定も今須でおしまいだな」

と新八郎が笑ったのは、当時の通貨は江戸は金勘定、上方は銀勘定で、中仙道の場合、その境目が今須、つまり近江国は銀、美濃国からは金が通用するからで、京に滞在中、新八郎は江戸の根岸肥前守から送られて来る小判を入用に応じて両替屋で銀にしては使って来た。懐中にある使い残りの銀はここまでで、今須から先は別の財布に入れて来た江戸の通貨の出番になる。

「今須宿では、どちらになるのでございましょうね」

治助が訊き、新八郎は苦笑した。

「昼飯を取る店が近江側にあるか、美濃側かだな」

「不便でございましょうね。隣合せの家で算用が違うと申すのは……」

「全くだ。どういうふうに暮しているのか見当もつかないな」

街道は楓《かえで》並木になっていた。

ぼつぼつ色づきはじめた木々の梢に陽が当って紅葉が鮮やかに見える。

やがて国境《くにざかい》へ来た。

道に「江濃両国境」と書いた太い杭《くい》が立っていて、そのあたりに二十数軒の人家がある。

国境には二軒の店が並んでいた。

近江側の茶店は名前も近江屋で「不破之関屋」と書いた看板がかかっている。

「どうせのことなら、近江の名残りにここで飯にしよう」

使い残りの銀を少しでも減らしておこうと考えたわけでもないが、なんとなく近江国に名残りを惜しむ気持で、新八郎が茶店の入口を入った。

店の中には新八郎と同じ考えの旅人が何人か各々、縁台に腰をかけてうどんを食べている。

同じものを注文して、新八郎が、

「隣の店は、何という名前か」

と訊《たず》ねると、頬の赤い娘が、

「隣は両国屋といいます」

少し、かしこまって返事をした。

「成程、近江と美濃の両国境にあるから両国屋か」

新八郎が笑ったので、安心したのか、娘がいい添えた。

「でも、言葉はうちのほうは近江言葉で、隣は美濃訛《なま》りですよ」

と教えた。

「ほう、隣合せでもお国訛りは異るのか」

感心している新八郎に茶を汲んで来た親父が、

「隣の店先に寝物語由来と申します看板がかかげてございますが、そもそもこの家と隣の間は一尺五寸しか離れて居りませんで、夜更けて隣家に用事のある時は居ながら壁越しにも話が出来たというところからでございますよ」

同じ村ならともかく、他国人同士が居ながらにして話が出来る面白さだという。

「どうしやはった。おうどんは好きなのに、食べとうないのんか」

小篠の声で、新八郎は小太郎が殆《ほと》んどうどんに手をつけていないのに気がついた。

「どうした。うどんがいやなら、何か他のものでも……」

といったが、小太郎は悲しそうな表情で首を振る。

「それなら、蓬餅はどうだ」

懐中から包を出してみせたが、やはり手も出さない。

「それやったら、せめてお汁だけでも頂きなさい」

母親に叱られて、うどんの汁をすすっている姿にも、いつもの力がない。

「旅の疲れが出て来たのかも知れません」

治助はそんなふうに解釈し、新八郎も食後をゆっくり休むようにした。

この先は今須峠があるし、今須宿まで上り下りの道が続く。

「しっかり歩かねば、小太郎は元気な子やったのに、どないしてしもうたの」

母親にはげまされて力なく立ち上った小太郎を見て、新八郎はいった。

「俺が背負って行こう」

「あきまへん。隼様がやさしゅうして下さるよってに、甘えてしもて……。まだまだ道中は長いことやし……」

小篠が我が子の手をひき、とりあえず新八郎も治助をうながして歩き出した。

後から見ていると、小太郎は必死といった足取りで母親について行く。

昼飯を食べていないのだからと、峠道にかかってからは新八郎が声をかけて小太郎を背負った。

「ほんまに、いつも隼様に御迷惑をかけてすまんことでございます」

小篠は身を縮めるようにして頭を下げたが、小太郎は気がゆるんだのか、新八郎の肩に頭をもたせかけて、うつらうつらとまどろみはじめている。

「あまり気を遣わないでくれ。こう見えても力だけはあり余っている。子供を背負って道中するくらい、俺にとってはなんでもないことなのだ」

小篠に笑って、新八郎はむしろ安心して山道を上りはじめた。

小太郎という子が年齢に似合わず健気なのは承知している。昼飯も咽喉《のど》を通らぬほど体調が悪いのに、母親を心配させまいと懸命に歩いている姿には胸が痛くなる。

それより背負ってしまったほうが、自分の歩調で歩けるし、気分的にも楽であった。

正直の所、小太郎がただの旅疲れではなく病気ではないのかと、そちらのほうが不安であった。

陽気がよいといっても、朝晩は急に気温の下ることもある。水も食物の味も行く先々で変っているわけで、年端《としは》も行かない者には苛酷な旅に違いない。

今須の宿を越えた。

次の関ヶ原宿まではちょうど一里である。

伊吹山のむこうの空が曇り出したのは、不破関跡を過ぎてからであった。

このあたりの北側はかつての関ヶ原の古戦場跡で、東軍、西軍入り乱れて戦ったその当時は、どれほどの人が命を失い、大地はおびただしい人の血を吸ったに違いないのに、それから二百年近くも経った今は、なんの変哲もない穏やかな山村の風景が点在している。

関ヶ原宿で新八郎は治助と小篠に相談をした。小太郎の体を考えて、少し早いがここで泊ったものかどうかといった新八郎に、小篠は、

「小太郎をおぶって頂いて、このようなことを申すのはなんでございますが、私のことをお案じ下さるのでしたら、まだ歩けますので……」

と遠慮がちにいう。

たしかに、今日は番場宿を出てから四里少々しか歩いていない。

「小太郎坊ちゃんは手前が代って背負って参りましょう」

と治助がいったが、新八郎は笑いとばした。

「俺ならまるっきり大丈夫だ」

次の垂井《たるい》宿までが一里半、更に行けば赤坂宿まで足を伸ばしても三里ぐらいのものであった。

だが、関ヶ原宿から垂井宿までの間に天気は急速に悪くなった。

突風と共に雨が降り出して、新八郎達は慌てて合羽と笠をつけた。

あいにく雨宿りするような家もない。

「とにかく、垂井まで急ごう」

治助が小篠の手をひいて、一目散に走って垂井宿の、「かめや」という旅籠へとび

込んだ時には、一寸先もみえないほどのどしゃ降りになっていた。

「これはこれは御災難でございましたな」

宿の亭主に迎えられて奥の部屋へ案内され、すぐに女中に頼んで布団を敷いてもらったのは小太郎を寝かせるためであった。

新八郎が頭から合羽をかぶって来たので、思ったよりは濡れていないが、小篠が荷物の中から替えの着物を出して着替えさせる間もぐったりしている。

「熱があるな。医者に診《み》せたほうがよい」

新八郎の言葉で帳場へ出て行った治助がすぐに戻って来て、

「あいにく、この宿場にはお医者がいねえようですが、こちら様が診て下さるとのことで……」

背後をふりむいた。

女が少しはにかんだ様子で会釈をする。

「かたじけないが、病んでいるのは子供なのだ」

てっきり産婆かと思って新八郎は断りかけたのだが、女はついと部屋へ入って来て、小太郎の枕許にすわった。

熱を診、口を開けさせて、小篠に、

「咳《せき》はしていましたか」

と訊く。

「いえ」

「咽喉が痛いとは……」

「いいえ」

「痛かった筈《はず》ですよ、お昼は何を召し上がられました」

「それが何も欲しくないと申しまして……」

「食べられなかったのですよ、咽喉が赤く腫《は》れています」

提げて来た風呂敷包を解くと四角い、小さなひき出しの沢山ついた箱が出て来た。

医者が持つ薬籠《やくろう》のようなものかと新八郎が眺めていると、小さな煎《せん》じ薬の包を出して、

「これを土瓶で煎じて来て下さい」

と小篠に渡す。自分は乳鉢のようなものを取り出して、二、三種の薬を匙《さじ》ですくって一つにし、丹念にすりはじめる。

「不躾《ぶしつけ》でございますが、どちらから旅をなさってお出《い》でになりましたか」

新八郎が答えた。

「京からだが……」

「出立なさってから今日で……」

「四日目だ……」

最初が守山、次が越知川泊り、三日目が番場で、今日は垂井まで来た。

「小さいお子には、少しきつい旅だったかも知れません」

粉薬を紙に取り、湯呑に湯を注いでゆっくりさましながら、布団の中で目を開けている小太郎にいった。

「どこか痛むところはありませんか、かくさないで教えて下さいな。そうしないと、もっと痛くなってしまいますよ」

小太郎が口の中を指した。

「ここは……」

白い手が小太郎の胸へあてられた。小太郎が首をふる。

「そう。でも、今日は念のために湿布をしておきましょうね」

冷めた湯で薬を飲ませ、それから一度出て行って、次に来た時は黄色い塗り薬を布に塗りつけたのを持って来た。

芥子《からし》の匂いがして、新八郎は昔を思い出した。

あれはいくつの時だったか、風邪をこじらせた新八郎の胸に、亡母が芥子の匂いのする湿布をしてくれた。

「小太郎は風邪ですか」

女に対する不安が消えて、新八郎の声が正直に丁寧になる。

「旅の疲れで体が弱っているところに、病気が忍び込んだのでしょう。それほど重いとは思いませんが、何分、お小さいのでね。大事になさいませんと……」

湿布をして、着衣の前をしっかり合せ、布団をかける。

「奥様がお戻りになったら、煎じ薬は冷ましておいて、お子が目ざめた時に少しずつ、多分、咽喉が渇いてよく飲んでくれると思いますが、適当に飲ませてあげて下さるよう、お伝え下さい」

新八郎が何をいう間もなく、すみやかに部屋を出て行った。

あっけにとられている新八郎へ治助がそっといった。

「あちらはお医者のようで……」

この旅籠の主人がそういったという。

「俺は産婆かと思ったよ」

「女のお医者というのは珍らしゅうございますね」

「この近所に住んでいるのか」

「さあ」

と治助は答えたが、やがて煎じ薬の入った土瓶を持って戻って来た小篠の口から、女の素性《すじょう》が明らかになった。

「長崎から江戸へお帰りになる途中やとのことで……。五日ほど前にこの宿へ来て、こちらのお内儀《かみ》さんが喘息《ぜんそく》の持病で苦しんではったのを、大層、ようきくお薬を調合して下さったいうお話です」

その話を聞いて、近くから病人が診てもらいに来たりして発《た》つに発てなくなって治療をしているらしいという。

長崎まで行って医者の勉強をして来て、芥子の湿布かと思ったが、新八郎は口には出さなかった。

治助は濡れた衣類の始末に部屋を出て行き、小篠は暫《しばら》く小太郎の枕許にいたが、あまりよく寝ているので、

「今の中《うち》にちょっと洗いものをして参ります」

新八郎にあとを頼んで洗い場へ行った。

まだ夕餉には少々、間のある時刻である。

部屋には小さな火鉢が一つ、これは寒さしのぎではなく、いつでも勝手に茶が飲めるようにと鉄瓶をかけておくためのものらしい。

所在なく、新八郎は雨の音を聞いていた。

京から垂井まで、およそ二十四里半、長野の善光寺へ寄り道するのを除いても江戸まで百十里少々。別に一刻を争う旅ではないが、殿様はさぞお待ちであろうと、根岸肥前守の温顔が瞼《まぶた》に浮んで来る。

ことりと音がして、障子のむこうで人が敷居ぎわに膝をついた気配がする。

「よろしゅうございましょうか」

という声で女医者だとわかった。

「どうぞ」

と応じながら、小太郎をみる。女医者はすべるように枕許へ来た。手に水の入った桶と油紙を持っている。布団の脇に油紙を敷き、その上に桶をおくと、手拭を水でしぼり、小太郎の額へ当てる。

「先程は失礼を申しました」

新八郎に横顔をみせた恰好で会釈をした。

「てっきり、お子を連れた御夫婦と思いまして……」

小篠が訂正しに行ったのかと気がついて、新八郎は苦笑した。

「いや、間違いは誰にもあることです」

「私を産婆とお思いになりましたでしょう」

「治助が、ばらしたのですか」

「いいえ、さっき、貴方様の表情でわかりました」

僅《わず》かにためらって思い切ったようにいった。

「間違いましたら、お許し下さい。隼新八郎様ではございませんか」

流石に新八郎はまじまじと相手を眺めた。

「身共は、たしかに隼新八郎と申すが……」

「御挨拶が遅れました。私、岡本元斎《げんさい》の娘、みゆきでございます」

「岡本先生の……」

岡本元斎というのは、江戸では名の知れた医者であった。長らく紀州家に仕えていたが、致仕《ちし》して町住いをしている。根岸肥前守とは二十年来の知己《ちき》で、何かと厄介にもなっていた。

「そう申せば、岡本先生には一人娘がおありで聟《むこ》を迎えたと、主君、肥前守様よりうかがったおぼえがありました」

女医者が小さく笑った。

「私は何度か隼様にお目にかかって居ります。殿様のお薬を父の家へ取りにおみえになった時と、殿様が父に上等の砂糖を下さいました折、やはり貴方様が……」

「岡本先生のお屋敷には何度となく伺いましたが、大方は男のお弟子の方がお取次で……」

「私、次の間からのぞいて居りましたの。あまり、父が貴方様の噂をするものですから」

「ろくな話ではないのでしょう」

「あれで、もし学問がお好きなら、なんとしても弟子にしたいと……」

つい声に出して笑い、新八郎は小太郎が目をさましたかと慌てたが、額に濡れ手拭を当ててもらって気持がよいのか無心に眠り続けている。

廊下に足音がして小篠と治助が戻って来て、みゆきは入れかわりに部屋から去った。

「どうも驚いたよ。あの人は岡本元斎先生のお嬢さんだそうだ」

新八郎が治助に教え、治助も目を丸くした。

無論、治助は根岸肥前守と親しい岡本元斎を知っている。

「岡本先生のお嬢様が長崎へ修業にお出でになっていたということでございましょうか」

「おそらく、そうなのだろう」

くわしい事情を聞く暇もなかったし、むこうが話せばともかく、新八郎のほうから不躾《ぶしつけ》に訊ねるつもりもなかった。

やがて晩餉の膳が運ばれ、目をさました小太郎も粥《かゆ》を僅かながら食べた。

その夜は何度となく小篠が小太郎に煎じ薬を飲ませ、小用に連れて行ったりしていた。その物音でうつらうつらしながら、新八郎は明日、この宿を出立出来るかどうか考えていた。

だが、朝になってみると雨はやむどころか強風まじりの嵐になっていた。

男一人なら発てないこともなく、駕籠《かご》をやとう方法もあるのだが、朝餉の前に小太郎の容態を診に来たみゆきの意見では、

「出来ることなら、今日はゆっくり休ませてあげたほうが……子供や老人の風邪はこじらせると命にかかわることもございます」

というもので、新八郎は迷わず一日滞在を決めた。

ここで無理をして小篠まで体調を崩すと、美濃路には大久手《おおくて》宿から大井宿にかけて

十三峠の難所があるし、その先には木曾路がひかえている。

「幸い、知り合いの医者にも出会えたことだし、この嵐も発つなという神仏のお指図かも知れない。ゆっくり灸《きゅう》でもすえて英気を養っておこう」

といった新八郎に、小篠は申しわけないとくり返しながらもほっとした様子であった。

小太郎はまだ熱もあるし、食欲も本当ではない。

宿の女中の話では、やはりこの天候なので出立を見合せたり、様子をみてという客が多く、無理をして旅立ったのは何人もいないらしい。

新八郎にとっては無聊《ぶりょう》をもて余すような一日だったが、みゆきは何度もやって来て、小太郎の様子を診、ついでのように話をして行く。

もっとも、長崎へ行った理由については、何となく口が重くて、話題はもっぱら江戸のことと、帰り道に滞在した大坂での風聞などである。

「隼様は何の御用で京へお上りになったのですか」

と訊かれて、新八郎は主君の用で、鷹司家の慶事に祝物を届けに行ったことだけを話すつもりが、みゆきの聞き上手に乗せられて、とうとう御所役人の不正事件の探索にかかわり合ったいきさつまで、おおよそのことを話す破目になった。

それも、小篠や治助が傍にいて、新八郎が故意に省略しようとするところを、逆に丁寧に説明したりするので、みゆきは、

「随分と長い京御滞在で、大変なことでございましたね」

と感心したり、

「御苦労をなさいましたでしょうが、隼様が善光寺まで送って下さることになって、さぞ御安心なさいましたでしょう」

などと、女同士、小篠を慰めたりしている。

嵐は終日、垂井宿を吹きまくっていたが、夕暮時になって、漸《ようや》く雨が上りはじめた。

なによりも新八郎をほっとさせたのは、小太郎の病状が急激によくなって来て、夕餉には粥をおかわりしたことで、

「子供というのは病気の峠を越えますと回復が早《は》ようございますから……」

みゆきも愁眉《しゅうび》を開いた。

翌朝は快晴であった。

「本当は私も隼様のお供をして道中が出来たら、さぞ安心とは思いますけれど、一人、気になる病人を診て居りますので、そちらの御家族も私のような者を頼りにして

下さいますし、もう少々、容態が落付くまで滞在致します」

というみゆきに、新八郎は薬料として一両を包み、宿の主人から渡してもらうように頼んで出立した。

小太郎は元気だったが、新八郎は用心して駕籠を頼み、小篠と二人を乗せた。

みゆきがどうしても受け取らなかったからである。

みゆきは宿場のはずれ、見付《みつけ》といって石垣の上に土塁《どるい》を築いた宿場の入口のところまで送って来て、盛んに手を振っている。

新八郎達の行く道には、先のほうにやはり今朝発って行く大名の行列が赤坂宿へ向けて歩いている。

参勤交替の時期はおおむね春だが、この季節に江戸へ向う大名もないわけではなかった。

中仙道は木曾路という険阻《けんそ》な山路があるが、東海道よりも通行量が少く、桑名や今切《いまぎれ》の渡しの厄介や、とりわけ大井川で川止めに遭って長逗留《ながとうりゅう》させられる不便を嫌う大名家では、こちらをえらぶ例が少くない。

赤坂宿まで一里十二丁を一息に来て、一日休息したせいで、治助の足も軽い。

更に二里八丁で美江寺《みえじ》宿へ入って、ここでやや遅い昼食にした。

小太郎は見違えるほど威勢がよくなっていて、窮屈な駕籠より歩いて行きたいという。

小篠も、

「勝手ばかり申しますが……」

やはり徒歩でというので、駕籠屋には余分の酒手《さかて》をやって、ここまでということにした。

美江寺宿は古くから長良川《ながら》や揖斐川《いび》の氾濫《はんらん》で住民が苦労したあげく、伊賀国から十一面観音を運んで来て寺を造り、ひたすら祈ったところ、以来、川が荒れることが少なくなったといういい伝えがある。

その寺が美江寺で、町は寺の門前に栄えて来た。けれども、戦国の世になって斎藤道三《どうさん》が寺を岐阜に移してしまい、今は地名だけになっている。

中仙道もこのあたりは平坦なところで、小太郎は張り切って歩いているし、小篠の表情も明るくなった。

美江寺宿から一里六丁で合渡《ごうど》であった。

宿場の先の合渡川は舟渡しで、昨日の雨のせいで川水は濁って居り、水量もやや多い。

とはいえ、東海道の大井川や天竜川からみれば川幅は遥かに小さい。

川を渡って、新八郎の一行は穏やかな街道を歩き続けた。

道ばたの百姓家の軒には干大根がぶら下っている。

背後から馬が来たのは、間もなく加納《かのう》宿というところで、道のはしに避けて立ち止った新八郎達をやりすごしそうになって、急に止った。

「隼の小父《おじ》さん」

と呼びながら馬からとび下りた子供は正之助で、続いて姉のおよねがかけ寄って来た。

「お前達、いったい」

と新八郎がいうのに答えず、

「大変です。悪い侍が源造達と一緒に追っかけて来ます」

息をはずませていった。

「わたしたちは隼様に知らせに……」

昨日は雨に降りこめられて関ケ原の木賃宿へ泊っていたといった。

「くわしいことを話している間に早く逃げんと……奴らはわたし達が知らせに来たのに気がついて、すぐ後から……」

新八郎は驚かなかった。

「源造達が俺達を追って来るというのか」

「そうです」

「何故だ」

源造というのが、この姉弟の父親の弟だというのは聞いていた。

どういう事情かは知らないが、その源造が正之助に対して害意を持って居り、正之助は彼らの手を逃れて中津川の生母の許へ行こうとして新八郎一行と知り合ったものだ。

「奴らは正之助をつかまえに来たのではないのか」

およねが背後をふりむいた。

「正之助のことは、お父つぁんが心配して源造と一緒に来たから……」

「わからんな。わかるように落付いて話してくれ」

「わたしはお侍さんと別れてから正之助と彦根の伯父さんの家へ行ったんだ。そこへお父つぁんが訪ねて来て、一緒に守山へ帰ろうと街道へ出たら、源造が仲間と来て……」

源造は仲間だけではなく、およねも正之助も見たことのない大男の侍と一緒だったといった。

「そのお侍が、正之助に、しつこく隼様のことを聞いて、その侍が間違いないと……」

必死で話しているおよねの言葉を聞きながら新八郎はすばやく判断した。

その侍というのは、おそらく押田内匠の配下の誰かではないのか。何で源造と知り合ったのかは不明だが、京から新八郎一行を追って来て、たまたま、正之助が拉致《らち》されそうになった折に新八郎が助けた一件を耳にして、女子供連れであることからして、隼新八郎と察知したものではなかったか。

正之助が泣き顔で姉の傍からいった。

「俺は、その侍が隼の小父さんの友達だというから、安心して源造の仲間から救ってもらったことや、一緒に旅をしたことを話したんだ。そうしたら……」

父親もろとも一緒に来いと脅されて関ヶ原宿につれて行かれた。

「宿で雨宿りしている時に、姉ちゃんが奴らの話しているのを聞いて……」

およねが弟の後に続けた。

「どうもおかしいと思って、酒を運びながら話を聞いたですよ。京で悪いことをして逃げて行くのを追って来たんだと。首尾よく討てば、褒美《ほうび》のお金を、えらい人が出して下さると……正之助もわたしも嘘だと思ったです」

とにかく、新八郎に知らせようと、今朝早くに宿を脱け出して街道を走り続けて来たが、源造に気づかれて合渡川を渡ったところで追いつかれそうになった。

「姉ちゃんが、お百姓に馬を借りて……」

治助が叫んだ。

「旦那様……むこうから人が……」

小篠がいった。

「あれは、佐々木辰之助《たつのすけ》……」

新八郎は素早く背中の包を治助に渡した。

「みんな、先へ行け。近づくなよ」

道中合羽を脱いで、刀の下げ緒を襷《たすき》にした。

治助が合羽を受け取り、小篠や小太郎を連れて街道を先へ走り、それに正之助とおよねが続く。

近づいて来る人数を、新八郎は目で数えた。

小篠が佐々木辰之助だといった侍を中心に、みるからに破落戸《ならずもの》といった連中が五人、その背後に初老の男が若い男にひったてられるようにしてついて来る。

秋の午後、街道の両側は稲刈の終った田が広々と続いている。

二

道の端に立っている隼新八郎の姿を認めると、佐々木辰之助は俄《にわ》かに走り寄って来た。

痩《や》せぎすで背が高く眼光の鋭い男であった。

新陰流の遣《つか》い手《て》で、御所役人の押田内匠の身辺警固をしていたというだけあって身のこなしには油断がない。

「貴様、隼新八郎だな」

およそ五間《けん》ばかり手前で立ち止って叫んだ。

「伏木要一郎の女房と忰《せがれ》を受け取りに来た。神妙にこちらへ寄こせ」

新八郎は穏やかな表情で相手を眺めた。

「そこもとの姓名は」

「名乗る必要はない」

「ほう、貴公、女衒《ぜげん》か」

「なに……」

「名も名乗らず、女子供をかっさらって行くのは女衒か子さらいと決っているが……」

佐々木辰之助の体が大刀を抜きながら跳躍し、新八郎は左後方へ僅かに退《ひ》いた。

「おのれ、押田どのの敵《かたき》」

苛立《いらだ》って踏み込んで来るのを左に右にとかわしている新八郎の姿は、他所目《よそめ》には佐々木の剛剣の前に逃げ廻っているように見えたものか、それまで成り行きを眺めていた源造が破落戸《ならずもの》に声をかけ、ばらばらと道を走って新八郎の脇を抜けようとする。

抜き打ちに新八郎の剣がその一人の足を払い、脇差をひらめかしてむかって来た奴の右手を脇差ごと斬りとばした。

すかさず斬りつけて来た佐々木辰之助の前に、新八郎が蹴とばした男がよろめいて来て、佐々木の剣は、そのまま男の肩を深々と斬り下げていた。

新八郎はすでに道の中央に戻って正眼にかまえている。

佐々木辰之助の背後にいた源造と二人の男は顔をこわばらせ茫然自失していた。

一瞬の中《うち》に自分達の仲間が血まみれになって地にころがっている。

しかも、その一人を斬ったのは、まぎれもなく自分達の味方である筈の佐々木辰之助であってみれば、一体、何が起ったのか判断し難《か》ねたに違いない。

佐々木辰之助は蒼白になっていた。

剣の腕を買われて押田内匠の配下になっていたものの、天下泰平の世であった。これまで人を斬ったことがあったかどうか。少くとも、新八郎のほうが遥かに修羅場をくぐっている。

「退《ひ》きなさい」

新八郎が声をかけた。

「押田内匠は自らの罪のために処罰されたのだ。伏木どのの奥方や忘れ形見を怨むのは筋違い。身共も貴公に敵呼ばわりされるおぼえはない」

道のむこうから武士らしい一行が近づいて来るのを、新八郎は目に留めた。街道を行く旅の武士のようである。

「退けといわれるのか」

低く、佐々木辰之助が応じた。

「左様、無益の殺生《せつしょう》を重ねるより、一日も早く正道を求めて……」

体の力が抜けたように佐々木辰之助が二、三歩よろめいた、とみせていきなり下からすくい上げるような大刀筋《たちすじ》が新八郎に襲いかかった。

見守っていた小篠の口から悲鳴が上った。てっきり、新八郎がやられたと治助でさえも思ったのだったが、大きくたたらをふんでぶっ倒れたのは佐々木辰之助であった。

新八郎は僅かに右へ跳んだ姿勢で、卑怯《ひきよう》な武芸者の最期をみつめていた。

「新八郎様」

我を忘れて小篠が新八郎へ向けて走り出した時、前方からやって来た武士の一行の中《うち》、主人らしい白髪の侍が近づいて来た。

「これは何事……」

といいかけて新八郎を見、おうと声を上げた。

「貴殿は根岸肥前守様の御家来、隼新八郎どのではござらぬか。手前は加納城の主《あるじ》、永井出羽守用人、松原三郎左衛門でござる」

名乗られて新八郎も思い出した。

この先の宿場、加納には城があった。

美濃厚見《あつみ》郡加納の城主、三万二千石の永井出羽守尚佐《なおすけ》の上屋敷は外桜田にあり、出府の際には必ず用人の一人である松原三郎左衛門が町奉行所へ挨拶に来る。温厚で文人肌のこの用人は、どういうわけか根岸肥前守と合い性がよくて、滅多に大名家の用人と面談なぞはしない肥前守が、松原三郎左衛門が出府したと聞かれると必ず私室へ通すように命じ、道中の話などを小半刻《こはんとき》も聞いていらっしゃることがある。自然、新八郎とも昵懇《じっこん》であった。

「いやいや思いがけないところでお目にかかるものかな」

懐かしそうに松原三郎左衛門がいい、新八郎は頭を下げた。

「御用人様には御在国でしたか」

「左様、殿様の御供《おとも》で六月に国入り致し、今日は御用のため、一昨日より大垣へ参って、その帰り道でござる」

話の様子をみていた源造が二人の仲間に目くばせして急に逃げ出そうとするのに新八郎が気づいた時、思いがけないことが起った。

源造と共にこの場へやって来た初老の男がいきなり源造に近づくと、彼の腰の脇差を奪い取り、あっという間に源造の胸を突いたものだ。

「お父つぁん……」

源造が絶叫し、すがりつこうとするのに遮二無二《しゃにむに》、脇差を突き立てる。

正之助とおよねがとんで来た。

「何するだ。お父つぁん、気でもおかしくなったか」

およねが叫び、新八郎も傍へ行った。

「これは、お前達の父親か」

二人の子供が答える前に、初老の男が叫んだ。

「こいつを生かしておいては、正之助が殺される。およねも幸せになれんのや」

「待ちなさい。あんたがおよねや正之助の父親なら、源造はあんたの弟ではないのか」

野村屋という宿で、番頭という形になっているが、実は自分達の叔父だとおよねと正之助から聞かされていた。

「これは……わしの倅でございます」

血まみれの脇差を握りしめ、涙を流している野村屋の主人、安兵衛を、およねと正之助が怯《おび》えた顔でみつめている。

大地には五人の男がころがっていて、なんとも凄惨《せいさん》な光景であった。

松原三郎左衛門が供の家来に指図して、逃げそこねていた二人の破落戸を捕え、死体や怪我人《けがにん》の始末を命じてから、新八郎一行を加納宿の本陣へ案内したのは夕方に近かった。

安兵衛とおよね、正之助の二人の子は取調べのために加納藩の番屋へ移され、新八郎は松原三郎左衛門と共に加納城内へ行った。

その新八郎が本陣へ戻って来たのは、夜になってからで、

「晩餉は先にすませてよいぞ」

といいおいて行ったにもかかわらず、治助も小篠母子もひたすら新八郎の帰りを待っていた。

大方、そんなこともあろうかと、新八郎のほうも松原三郎左衛門が屋敷に支度をさせてあるからと強く勧めるのを固辞して帰って来た。すぐに膳を運ばせ、道中はあまり飲まない酒を一本用意させて、小篠や治助にも盃を持たせた。

「とんだ一日だったな。さぞかし疲れたことだろう」

といたわった新八郎に小篠が深く頭を下げた。

「申しわけございませぬ。私共のために隼様を危いめにお遭わせ致しました。どのようにお詫び申してよいやら……」

手を上げて小篠の言葉を遮《さえぎ》り、新八郎は屈托なく笑った。

「あなた方だけのことではない。佐々木辰之助は身共を敵とねらって追って来たのだ。ふりかかる火の粉は払わねばならぬが、小太郎の目の前で、出来れば人を斬りたくはなかった」

治助が、うつむいている小太郎を眺めて新八郎にいいつけた。

「小太郎さんは泣いたのでございますよ。もし自分が少しでも剣術を学んでいたら、隼様と共に戦えたのにと申しましてね」

「そんなことで泣いたのか」

胸の中に温かいものが流れて、新八郎は小太郎の肩に手をかけた。

「俺を心配してくれたのは嬉しいが、十年早いぞ。第一、剣はおのれを守るためにある。人を斬るのはそうせねばおのれが守り切れぬ時なのだ」

小篠にもいった。

「決して心配することはない。小篠どの母子を守って善光寺の親御様の許まで送り届けようと決心したのは、亡き伏木要一郎どのの正義を守ろうとする心に打たれたからだ。この道中、必ずや伏木どのの魂が我々を守って下さると信じている」

新しい膳が運ばれ、女中が取り次いだ。

「お城の御用人様より御酒が届いて居ります。また、おあずかり申した御刀は研師《とぎし》が早速お手入れにかかりましたので、明早朝にはお手許へお戻し申しますとの口上でございました」

今日の午後の血闘で血に汚れた新八郎の刀を松原三郎左衛門は城下によい研師が居るのでとあずかってくれた。そのかわりに、

「御腰が寂しかろうと存ずる故……」

と代りの大刀を渡してくれたもので、それはこの部屋の刀掛にかけてある。

「御用人はまことに行き届いたお方でね。安兵衛のことも悪いようにはせぬとひき受けて下さったのだ」

取調べに対して、安兵衛が申し立てたのは傍で聞いていた新八郎にとっても意外な事実であった。

源造というのは、安兵衛がまだ女房を迎える前、若気のいたりで女中に産ませた子だという。安兵衛の親が世間体を考えて、安兵衛の弟として届け、いったんは里子に出したのだが、我が子が不愍《ふびん》でならなかった安兵衛は、自分が家を継いでから源造を手許に戻し、番頭として商売を手伝わせた。

「安兵衛の恩情が仇《あだ》となったのだな。源造はおのれこそ野村屋の跡取りだといい出して、まず邪魔になる正之助の母親を、安兵衛に讒訴《ざんそ》してとうとう実家の中津川へ追い払わせた。そのあげく、悪い仲間をかたらって正之助を亡き者にしようとしたのだが……」

正之助は新八郎に助けられた。

「佐々木辰之助は京を立ち退《の》いてから、守山宿の口入れ屋の所に厄介になっていて、土地の破落戸などに剣術を教えていたそうだ。その縁で源造と知り合ったらしいが……」

少々気になるのは、佐々木辰之助が源造達に、新八郎を討果し、小篠母子を捕えれば、或る人物から大層な褒美《ほうび》の金がもらえるといっていたということだが、新八郎は、それをこの場では小篠母子の前では口に出さなかった。

小篠母子にはどうしようもないことだし、よけいな心労をかけるだけと考えたからである。

「成程、それで源造達が佐々木という侍と一緒に追いかけて来たのでございますか」

佐々木も源造らも、隼新八郎の顔を知らない。そのために、正之助とおよねに首実検をさせる気でひっぱって来たものだと、治助は合点した。

「安兵衛は源造をもて余していたのでございましょうね」

日蔭の子として育った源造を不愍と思って甘やかしている中《うち》に、その我が子が狼に変身しているのを知った。

「取調べで安兵衛は、自分のあやまちは自分でつみ取らねばならないと悟ったと申していたよ。自分は源造と心中する気で、中津川にいる正之助の母や、正之助、およねを守りたいと思ったとね」

それが、あのどさくさに我が子を殺害した安兵衛の本心かと、新八郎は少しばかり苦い口調でいい、治助が心配そうに訊《き》いた。

「そうしますと、安兵衛はどのようなおとがめを受けるのでございましょうか」

「御用人様はものわかりのよい御方でね。父を父とも思わず、弟妹を弟妹とも思わぬ者は人間ではない。まして破落戸をかたらって金のために悪事を働こうというのは、当然、報いを受けるべきであるし、安兵衛の心中も哀れと仰せられた。必ず、善処して下さると思うよ」

といった新八郎の言葉通り、翌日、松原三郎左衛門の家臣、犬上左内《いぬかみさない》が新八郎の佩刀《はいとう》を届けがてら、安兵衛とおよね、正之助の三人を本陣へ伴って来た。

「御慈悲をもちまして、二人の子と共に守山へ帰れとのお許しを頂きました。その上で、正之助の母を中津川より呼び戻そうと存じて居ります」

泣き腫《は》れた目で新八郎に礼を述べた安兵衛は、骨壺の包を大事そうに持っていた。

それが昨夜の中にひそかに荼毘《だび》にふされた源造の骨だと新八郎にもわかる。

「父御《ててご》を大事にするのだぞ。悪いことはみな忘れろ。それが死んだ者への供養になる」

新八郎にいわれて正之助は声を上げて泣いた。

本陣を発つ時刻に、松原三郎左衛門はわざわざ見送りに来た。

「昨日、捕えた者共については、詮議《せんぎ》の上、各々きびしく処罰を致す。どうか御案じなく……」

心くばりのある挨拶に対して、新八郎は丁重に礼を述べ、加納宿を後にした。

加納宿は美濃十一宿の中、最も大きな宿場町であり、岐阜と名古屋をつなぐ中継地でもあった。従って城下防衛のために道は故意にまがり角を作って桝形《ますがた》になっている。

が、それも城下を出はずれるまでで、あとは中仙道の美濃路、秋の気配は一段と濃くなって来る。

鵜沼《うぬま》宿まで四里八丁、途中に各務野《かがみの》という広い野があって、どういうわけか、昔からここは田畑が出来ないといわれている。

鵜沼宿で昼餉をとった。

新八郎は目の前で人が斬り合うのに直面した小太郎が、どれほど衝撃を受けたかと心配していたが、子供の故か、それとも小太郎の肝が太いのか、今日の旅で眺める限り、元気にふるまっている。

むしろ、小篠のほうがもの案じ顔であった。

おそらく、押田内匠の腹心だった男達のことを考えているのだろうと新八郎は見当をつけていたが、それに触れることはひかえていた。

鵜沼宿を出ると、道は天王坂、さいの神坂、うとう坂、長坂と坂ばかりが続く。うとう坂は烏頭坂と書き、烏《からす》の首がのびた恰好の坂道で遥かに犬山城が見えた。城の手前には木曾川が流れ、犬山城は川岸の断崖の上にあって、この季節も青々と茂る樹林に囲まれている。

「きれいなお城でございますね」

と治助が目を細めた。この城を築いたのは織田信康であった。もっとも、元和《げんな》三年(一六一七)からは尾張藩の付家老《つけがろう》、成瀬《なるせ》家が城主となっている。

中仙道は暫《しばら》くは木曾川沿いの道で、時折、眺められる川は幅の広い割に急流で、川岸の岩にぶつかって白い飛沫《しぶき》を上げているのが目を驚かせる。

筏《いかだ》が流れに乗って下流へ漕《こ》ぎ下っていた。この上には尾張藩領地の木曾の山々があり、そこから伐《き》り出される檜材《ひのき》などが、この川を通って尾張の熱田《あつた》まで運ばれて行く。

筏の上の船頭達が長い竿《さお》を巧みにあやつって流れの中を縫って行くのが見事であった。

鵜沼から二里で太田宿であった。

ここから遠くない関は古来、刀鍛冶の名人を多く輩出した所で、それを思うと加納藩の用人が秀れた研師が御城下にいるといったのも成程と合点出来る。

今朝、手入れが済んで届けられた新八郎の愛刀は、見事に研《とぎ》がかかって人間の脂に汚れた刃文《はもん》も錵《にえ》も鮮やかに甦《よみがえ》っていた。

道はやがて太田の渡しに行きついた。

木曾川を渡るこの渡しは、かなりの早瀬であった。

木曾の棧《かけはし》、太田の渡し、碓氷《うすい》峠がなくばよい、と馬子《まご》唄《うた》にあるほどの中仙道の難所の一つだが、このところ上流に雨が少なかったとかで、水量はそれほどでもない。

新八郎が小太郎を抱き、小篠の手を治助がひいて舟に乗り込んだ。

同じ舟に乗ったのは御嶽《みたけ》へ行く信者の一行三人と行商人らしい男女が一組、誰もが身を固くして流れをみつめ、中には念仏を称《とな》える者もいる。

船頭は馴れた様子で舟を岸から離したが、新八郎が見る限り、急流を乗り切って行くのはかなりの力業《ちからわざ》のようであった。

「怖いか」

そっと新八郎が腕の中の小太郎に訊くと、こわばった表情ながら、しっかりと首を振る。

流れは急だったが、川幅はそれほどでもなく、やがて対岸にたどりついた。

客達はやれやれと踏み板を渡って下りて行く。

そこからの街道も暫《しばら》くは平坦な土地が続いていた。

「今日はよいが、明日は名にし負う琵琶峠や十三峠にかかることになる。あまり無理をしないほうがよいな」

と新八郎はいったが、小篠は、

「まだ、大丈夫でございます。お天気のよい中に少しでも……」

と道を急ぐふうである。

やはり追手のことが心にあるのかと思いながら、結局、新八郎は伏見宿を通り越し、御嶽《みたけ》宿まで足を伸ばした。

御嶽宿は御嶽講の信者が登拝に上る道筋に当るので、この名があるが、宿場のあたりはごく普通の村里で山の気配は全くない。

どちらかといえば、蟹《かに》薬師で有名な願興寺《がんこうじ》の門前町であった。

ここには本陣と、脇本陣が一軒ずつあるのだが、新八郎達が草鞋《わらじ》を脱いだのは柏屋という宿で、部屋数は多くないが、上品な感じがある。

女中の話では今の季節にしては客が少いという。

晩餉をすませてから新八郎は宿の帳場へ行って明日の旅程を相談した。

次の宿、細久手《ほそくて》までが三里、そこから一里三十丁で大久手であった。

里数からいえば、午前《ひるまえ》に行きつける距離だが、この一里三十丁の間に琵琶峠がある。

その上、大久手の次の宿場、大井までは三里半だが、その道中は十三峠の他に七本松坂、西行坂とひたすら山路が続いている。

「お武家様でございましたら、明日、大井宿まで行かれても何ということもございますまいが、お女中衆やお子衆にはいささか難かしゅうございましょう」

あいにくのことに大久手から大井までの間には宿場がなく、ただ巻金《まきがね》という所に少々の休所があって、無理に泊ろうと思えば出来ない相談ではないが、とても普通の旅籠のようなわけには行かない。

「まして山の天気は変りやすうございますから、くれぐれも御無理はなさいませんように……」

尾張藩の役人も泊めるという宿の主人は、丁寧に新八郎の問いに答えてくれた。

まず細久手まで行き、そこから大久手までの間の小篠や小太郎の疲れ具合をみて、場合によっては大久手で宿を取るべきかと新八郎は判断した。

「大久手宿は宿の数はございますが、何分、山の中であまり上等とは申しかねます」

それでも、下手に道を進むと野宿になりかねないと主人が注意したように、新八郎一人ならともかく、女子供連れであってみれば用心の上にも用心をしたほうがよさそうである。

翌日はまずまずの空模様であった。

「途中、茶店などもございますが、万一のために焼むすびを用意しておきました」

飯の中に味噌と梅干が入っていて、夜まで持ち歩いても腐ることはないからと、親切にいってくれて、他に竹筒にたっぷりの水を四本、これは各々が身につけた。

さわやかな朝の空気の中を歩き出して暫くは村と村をつなぐ田舎道で、ところどころに上り下りはあるものの、さして険しくはない。ただ、この道は西から来た者にとっては上りが多く、逆に東から西へ向うほうは下り坂ばかりという具合なので、やはり歩き続けていると、けっこう足にこたえて来る。

それでも正午をやや廻った時刻に細久手の宿場へ入った。

このあたり、道の両側に山がせまり、細い道は弓なりにまがっていて見通しがよくない。

茶店で昼餉をすませ、休息していると、このあたりの木樵《きこ》りか炭焼きといった恰好の男が人を探すような感じで茶店をのぞいていたが、新八郎一行をみると遠慮がちに傍へ来た。

「もし、間違ったら御勘弁下せえまし。あなた様は隼新八郎様ではごぜえませねえか」

と訊く。

新八郎がうなずくと手に持っていた結び文をさし出した。

山から下りて細久手の宿へ来る途中、旅の侍から渡されたという。

「女子衆とお子衆とお供と四人連れで背の高い立派なお武家様だから、すぐわかるということで……」

一軒一軒茶屋をのぞいて来て三軒目で新八郎をみつけたらしい。

「それじゃ先を急ぐで……」

新八郎が何をいうひまもなく、とっとと街道へ出て行った。

結び文は細く折りたたんだものを糊《のり》で封じてあって、新八郎は小柄《こづか》を抜いて丹念に開いた。

厳重に封じてあったにもかかわらず、文章は短かかった。

の男の姿はない。


「琵琶峠、御要慎《ごようじん》」

と六文字が四角ばった書体で書かれているだけである。

僅かに眉をひそめ、新八郎は文を丸めて袂《たもと》に入れながら街道まで出てみたが、先程の男の姿はない。


「いったい、なんでございましょう」

治助が訊いたが、新八郎は、

「なに、ただの悪戯《いたずら》だろう」

苦笑して詳細は告げなかった。

琵琶峠で誰かが仕掛けて来るとしても、それがいったいどの辺りなのか、相手は何者なのか見当もつかない。

要慎をしろと忠告されても、どうしようもないので、そういう意味でもこの文は不親切だし、こんなものを寄こした意図もわからない。

何者だろうと、新八郎は内心で思案した。

使の男は旅の侍といっただけで、それも本当かどうか。

思いついて新八郎は茶店の女に、今、ここへ来た男を知らないかと訊いてみた。

「炭焼きの岩松でございますよ。この先の十本木村に親が住んでいますんで。子供の時に崖から落ちて読み書き算盤《そろばん》なぞは出来ませんが、正直な働き者で……」

何か間違いでもあったのかと心配そうに訊かれて新八郎は笑った。

「いや、先へ行った知り合いが、文をことづけたらしいのだ」

あまりとっとと行ってしまったので駄賃を渡すのを忘れてしまったといい、茶代の他に少々をおいて、岩松が通った時にでも渡してやってくれとことづけた。

小篠も治助も、すでに草鞋の紐《ひも》を結び直している。

「まず、悪戯《いたずら》に違いあるまいが、万一、おどけ者がとび出して来るかも知れない。その時は小篠と小太郎を連れて逃げてくれ。ばらばらになったら、大久手の山城屋という旅籠で待ち合せよう」

治助にだけささやくと、顔をややこわばらせたものの、

「承知致しました」

落付いた返事であった。

細久手の宿場をはずれると、すぐに山道で左の崖の上には庚申堂《こうしんどう》の古ぼけた建物が見える。

新八郎が先頭に、続いて小篠と小太郎、しんがりが治助といった恰好で坂を上る。

やがて琵琶峠の急峻《きゅうしゅん》にかかった。

岩を切り開いた道は小石が多く、ところどころは岩肌がむき出しになっていて、うっかりすると足を取られる。

といって足許ばかりに注意していると、いつ、どんな敵が襲って来るかも知れず、流石に新八郎も神経をとがらせた。

背後の治助は時折、足を止めては前後左右を見廻し注意を怠らない。

前方に人の姿が見える。

なんと百姓の女ばかりで背中に薪《まき》とみえたのはこのあたりの特産の楮《こうぞ》の木で、これは紙の原料となるので、代官が栽培を奨励している。

女達がすれ違って行くと、あとはまたひっそりした山の中であった。

漸《よう》やく行く手に空が広がって来た。

峠のもっとも高いあたりで北には加賀の白山《はくさん》が飛騨《ひだ》の山脈の間から眺められる。

「ここらで休んで行こう」

大きな岩かげをえらんで、新八郎が腰を下し、小篠と小太郎が近くの草むらに寄り添って座った。

二人共、かわいそうなほど、息が上っている。

竹筒の水を飲み、汗を拭いて新八郎はさりげなく周囲を窺《うかが》った。

ここは見晴しがよい分だけ、誰かが近づいて来ればすぐに目に入る。

「あの山が木曾の御嶽山《おんたけさん》だぞ」

新八郎は道中記に描かれている方角を眺めて教えた。

「むこうには伊吹山も見えるじゃないか」

たしかに眺望は見事であった。

空には殆んど雲がなく、浅黄《あさぎ》色の空の下に山々が競って姿を現わしたようである。

「たいした景色でございますね。こうして眺めますと、どの御山も神々しく見えます」

治助は感心したようにいったが、その目は油断なく峠の前後を見渡している。

一休みして立ち上った時、新八郎は小太郎を背負ってやりたいと思いながら、そうしなかった。

もし、敵が襲撃して来ると、小太郎までが危険にさらされてしまう。

下り坂は相変らず岩石がごろごろしているが、山に木が少なかった。

ということは、前方が広く見渡せる。

不意を襲って来る者にとっては不利な道でもあった。

道の左側の崖に巨大な岩が突出していた。

旅芸人の一行がそこで足を止めてがやがやさわいでいる。

新八郎が近づくと、その一行の中の如何《いか》にも人なつこそうな顔をした娘が、

「もし……」

と声をかけて来た。

「不躾《ぶしつけ》なことをお訊《たず》ねいたしますが、この岩、名前があった筈だと親方が申すんですけど、お武家様は御存じですか」

娘の言葉が歯ぎれのよい江戸弁だったことで、新八郎はふと大久保源太など定廻《じょうまわ》りの旦那と江戸の町を歩いていた時の雰囲気を思い出した。

「俺はこの道を通るのが初めてでね。だが、道中記には烏帽子《えぼし》岩と母衣《ほろ》岩と書いてあったよ」

形からみて、高い所の岩が烏帽子岩で、その先に幅の広いほうが母衣岩だろうと教えた。

どちらの岩も高さは二丈ばかりもある。

「親方、こっちのが烏帽子岩ですって」

娘が荷車の脇に立っている初老の男に呼びかけ、親方と思えるその男が新八郎に丁寧に腰をかがめた。

「娘がとんだ御無礼を申しました。何卒《なにとぞ》、お許し下さいまし」

新八郎の穏やかな表情をみて、安心したように岩を仰いだ。

「たしかに、烏帽子に似て居りますような」

娘が新八郎に訊いた。

「母衣岩って、なんですか」

母衣のことを訊ねられたとわかって、新八郎は苦笑した。

「ほろというのは母の衣と書いてね。その昔、合戦の折などに鎧武者《よろいむしゃ》が矢をよけるために背中にしょっていたのだ。籠《かご》のようなものに布を張って作ってあったらしい」

「ああ、それなら絵で見たことがあります」

武者絵のことをいった。

「源義家と安倍貞任《あべのさだとう》という人を書いた絵で、二人が背中にふくらんだものを背負っていたけれど……」

「そうだ、それが母衣だ」

山肌から削られたように出ている岩はあまり母衣とも見えないが、幅は烏帽子岩の二倍以上もある。

新八郎が歩き出すと、旅芸人の一行も一緒に大久手の方向へ進みはじめた。

「私達、旅廻りの一座なんです。でも、もともと江戸で芝居をしていて……」

娘が新八郎の少し後を歩きながら、おそれげもなく話しかける。

「そうだろうと思ったよ。江戸言葉がなつかしかった」

「お武家様もお江戸ですか」

「そうだ。上方からの帰り道だよ」

「まあ、よかった」

何が嬉しいのか、娘は手を叩いて喜び、

「あたし、坂東《ばんどう》あやめといいます。親方は坂東彦二郎です」

と名乗った。

新八郎がうなずいたきり黙っていると、

「お武家様のお名前を聞かせては頂けませんか」

ついと肩を並べて来る。

「あやめ……」

と親方が叱ったが、あやめのほうは憎めない顔で笑っている。

止《や》むなく、

「俺は隼新八郎だ」

と名乗ると、目を丸くして、

「もしかして……小かん姐《ねえ》さんの……」

まじまじと新八郎の横顔を眺めている。

「小かんというと、湯島の勘兵衛《かんべえ》の娘の小かんのことか」

「やっぱり、小かん姐さんのいい人の隼様なんですか」

大声で叫ばれて、新八郎は慌てた。

「よせ、俺は別に小かんのいい人なんかじゃないぞ」

「知ってます。小かん姐さんが勝手に岡惚れしてるだけだって……」

「馬鹿。いい加減なことをいうな」

彦二郎が傍へ来た。

「どうぞお許し下さいまし。娘は踊りを小かん師匠に習って居りまして……」

「すると、住居は湯島か」

「はい、天神様の裏手でございまして、只今《ただいま》は手前の母親が留守番をして居ります。勘兵衛親分のお住居とは目と鼻の近さで……」

「そうだったのか」

世の中は広いようで狭いと新八郎はうなった。

垂井宿では主君、根岸肥前守と昵懇の岡本元斎の娘のみゆきと出会ったばかりだ。

あやめが新八郎の傍から離れないので、旅芸人達は治助の後から一かたまりになって続いて来る。

後で考えると、これで襲撃者は手が出せなくなってしまったようである。

派手な芸人が前後してぞろぞろとついて来るのでは、なんとなく気をそがれてきっかけがつかめない。

小太郎はいつの間にか旅芸人達の荷車の上に乗せてもらっていた。

山道のなだらかなところへ出ると、一行が声をそろえて江戸の流行《はや》り歌なぞを唄い出す。

暮れる前に大久手の宿場へたどりついた。

山の中の寂しく、小さな宿場だが、西には琵琶峠、東には十三峠の難所があるから宿の数は少くはない。

「お前達はどこへ泊るのだ」

と訊くと、宿場のはずれの木賃宿とのことで、

「思いがけず道中を御一緒させて頂きまして、忝《かたじ》けないことでございました」

彦二郎が挨拶をして、なんとなく離れ難そうにしているあやめをうながして別れて

行った。

新八郎達は予定通り山城屋に草鞋《わらじ》を脱ぐ。

だが、この日、大久手の宿はどこも混雑している様子であった。

それがわかったのは、宿の主人がおそるおそる相部屋をお願いしたいと頼みに来た時で、

「申しかねますが、お女中衆がお一人で、難儀をしてお出《い》でなので……」

という主人の背後に武家娘といった恰好の女がうつむいている。

新八郎達の部屋は六畳に四畳半が続く、この宿では上等のほうであった。

で、六畳のほうに新八郎と治助と小太郎が入って、四畳半に小篠と武家娘が寝ることになった。

「申しわけございませぬ」

武家娘は低い声で礼をいい、部屋のすみへ行って旅装をといている。

その武家娘のために間の襖《ふすま》は閉め、晩飼は小篠が新八郎達の部屋へ来た。

「何やら御事情があるようで、あまり話もなさいません」

小篠のいうのでは、とかく背をむけがちで、名を名乗ることもないといった。

「そっとしておいたほうがよい。今夜一夜だけのことだ」

かかわり合いになる相手でもあるまいと新八郎は考えていた。

小太郎は母の手許を離れて新八郎と寝るのが嬉しいらしく、湯にも一緒に行き、布団へ入るとすぐに睡《ねむ》ってしまった。

治助も同様で、新八郎ですら今日の旅は疲れていた。

峠越えよりも、いつ、どこで敵が姿を見せるか、ずっと気を張っていた故である。

隣の部屋もひっそりしていた。

敵は予告までしながら、何故、琵琶峠で襲って来なかったのかと考えながら、新八郎も忽《たちま》ち睡魔に襲われる。

山の夜は、すみやかに更けて行った。

三

なにかの物音で、新八郎は目が覚めた。

夜はあけて居らず、あたりはひっそりと鎮《しず》まりかえっている。

耳をすませたが、なんの気配もない。

誰かが手水場にでも行ったのかと思う。

この大久手の宿は山の中で、宿もあまり上等とはいいかねた。

障子、襖《ふすま》の建てつけは悪いし、廊下も狭い。

隣室の物音は勿論、廊下をへだてた向い側の部屋をはじめ、左右前後の部屋の話し声でも、その気になって聞き耳をたてれば、楽に理解出来るような粗末な造りであった。

新八郎の隣で、小太郎は安らかな寝息をたてているし、そのむこうの布団では治助が軽い鼾《いびき》をかいている。

襖のむこうの部屋も静かだった。もっとも、そちらは小篠と武家娘の女二人で、育ちからいっても荒い物音をたてる筈《はず》はない。

再び新八郎は目を閉じた。

うつらうつらしながら、およそ半刻（一時間）、今度は隣からの声で目を開いた。

「それでは、お先に参ります。ありがとう存じました」

小篠と同室の武家娘の声であった。

音を忍ぶように部屋を出て、廊下を去って行く。

枕から首をもたげて、新八郎は外を窺った。

まだ暗い。

余程、急ぎの旅なのか、随分と早立ちだと新八郎は思った。同じ部屋の旅人が夜明け前から出て行くのでは、小篠はろくに眠れなかったのではないかと不愍な気持であった。

小篠に声をかけようかと思い、それをやめたのは、小太郎と治助の眠りを妨げないためであった。

間もなく空がしらんで来る時刻である。

日頃の新八郎なら、ここで起きてしまう筈であった。子供の時からの習慣で、冬でも寝起きはすこぶる良い。

起きなかったのは、自分にすがりつくような恰好で寝ている小太郎のためであった。

考えてみれば、僅《わず》か五歳のこの子が旅に出てから遭遇した恐怖は並大抵のものではなかったと思う。

とりわけ、加納宿の手前では、人が斬られ、死体が大地にころがる有様を目撃している。あの衝撃は丸二日が過ぎた今でも少年の心の深いところから消えてはいないに違いない。

昨夜、小太郎は熟睡していながら、決して新八郎の袖のはしをつかんだ手をはなそうとはしなかった。新八郎につかまっていないことには安眠出来ないほど、少年が不安を抱え込んでいるのが、かわいそうでならなかった。

父親は御所役人の不正をただそうとして非業の死を遂げ、母と二人、善光寺の母方の祖父母を頼って行くというのに、理不尽な敵の追手がかかっている。

御用旅では、なるべく事件にかかわらないのが鉄則だが、この母子だけはなんとしても無事に善光寺へ送り届けてやろうと新八郎は決心していた。同時に、母子をねらう悪の手も根こそぎにしておかねばならない。

いったい、何人の押田内匠の残党が母子をつけねらっているのか見当がつかないだけに厄介であった。

彼ら一味の一人たりとも残しておいては、善光寺へ行ってからの母子の安全がおぼつかない。

追手が早めに仕掛けてくるほうがよいと思う。今日は十三峠を越えて大井宿へ、その先は二里二十四丁で中津川宿、更に一里で落合宿を越えると美濃路は終って、木曾路に入る。

そのあたりまでに片がつくと道中、母子の表情も晴れやかになるだろうが、果して敵がどう出るか。

気がつくと障子のむこうがかすかに明るくなっていた。遠く、明け六ツ（午前六時頃）を知らせる寺の鐘も聞えている。

治助が布団を出て、手水場へ行く様子であった。

新八郎が小太郎の手をそっと袖から離して起き上ろうとすると、ぴくっと体を縮めるようにして目を開ける。

「まだ寝ていてもよいが、手水に行くか」

顔を近づけていうと、むっくりと起き上った。

小太郎を連れて廊下に出ると空気がひんやりする。流石に山の中だけあって、この季節でも、もう朝夕はかなり涼しい。

井戸端へ行って顔を洗い、部屋へ戻って来ると治助が布団を片付けていた。

隣との襖は、まだ閉っている。

珍らしいことだと思った。いつもは男達が起き出す前に、小篠は身じまいを整えて朝の挨拶をする。

男二人が迷っている間に、小太郎が、

「お母様、お早よう」

といいながら、襖を開けた。

隣室には誰もいなかった。夜具はすみに片寄せてある。

もっとも、新八郎は武家娘が早立ちしたのを知っているので、小篠はてっきり起きて湯茶でも貰《もら》いに行ったのかと考えた。

部屋のすみには小篠の道中着がきちんとたたまれていて、その横には小太郎の着替えなどの入った包と笠がおいてある。

で、小太郎にも身支度をさせ、新八郎自身も袴《はかま》をつけていると、女中が朝餉《あさげ》の膳を運んで来た。隣室の女の伴《つ》れのことを聞くと、何も知らないという。

治助が表へ見に行った。

それでも、この時点では新八郎は心配していなかった。

小篠は信心深くて、これまでにも宿の近くに社寺があると、朝餉の前にちょっとお詣《まい》りをして来たなぞということがあったからで、

「ともかく、飯にしよう」

小太郎に食べさせ、自分も箸を取った。

だが、間もなく治助が戻って来て、どこにも小篠の姿がないという。

「今度は俺がみて来よう。治助は飯をすませろ」

入れかわりに新八郎は部屋を出て帳場へ行った。近くに寺か神社はないかと訊《き》く

と、街道沿いに鎮守の社があると教えられた。

そこへ行ってみたが、やはり小篠には出会わない。

宿へ戻って、伴れの女が出かけた様子はないかと聞いてみると、

「今朝早くに……まだ六ツの鐘も鳴らない中《うち》にお発《た》ちなさいました」

帳場の者が答えた。

「それは相部屋を頼んで来た一人旅の娘だろう。そうではなくて、俺達の伴れだ」

と新八郎に訂正されて、

「そちらは存じません」

かぶりをふった。

部屋へ帰ってみたが、やはり小篠はいない。

女中を呼んだり、帳場で訊《たず》ねたりしている中に、この宿の下男が、夜明け前に泊り客らしい女が二人、庭を横切って裏のほうへ行くのを見たといい出した。

この下男は庭のすみの小屋に寝泊りしているのだが、まだ暗い時刻に手水に起きて、小屋へ戻ろうとした時、庭のむこうの建物の雨戸が少し開いて、そこから女が二人出て来たのを見たらしい。

その建物は泊り客の部屋のあるところだが、下男は寝ぼけていてあまり気にもしな

かった。

「庭にお稲荷さんの祠《ほこら》があるので、お詣りに行ったのかと……」

なぞと弁解している。

「女が二人か」

新八郎が腕を組んだ。

それが武家娘と小篠とすると、平仄《ひょうそく》が合わないのは、新八郎が隣室から聞いた武家娘の声で、

「お先に参ります」

と小篠に挨拶していたのは、まだ夜のあけぬ前、時刻からいって暁《あけ》七ツ半、寅《とら》の下刻（午前五時頃）と思われる。

もし、その時に小篠が武家娘を送りがてら庭へ出たとすると、下男の言葉とほぼ一致しないでもないが、小篠に武家娘を外まで送る理由はないし、新八郎が耳にしたのは女一人が廊下を遠ざかる足音であった。

第一、帳場ではその時刻、武家娘が一人で早立ちして行ったのを見ているので、何も雨戸を開けて庭へ下りる必要はない。

念のために、宿帳をみせてもらうと、武家娘は生国《しょうごく》が近江国瀬田郡、山鹿《やまが》市兵衛娘

お絹と達者な筆で書いてあった。

部屋へ戻って来ると、治助と小太郎が不安そうに出迎える。

どうしたものかと、流石の新八郎が途方に暮れているところへ、宿の主人が来た。

「このようなものが、只今《ただいま》、届きました」

封書であった。

表に隼新八郎殿、裏に名前はなく、左封じである。左封じは即ち果し状であった。

「届けに参ったのは見馴れぬ男で、入口にこれを投げ込むようにして、走って行ってしまいました」

宿の主人は眉をひそめている。

新八郎が開いてみると、

女は我が手中にあり

命を助けたければ、明日、辰《たつ》の刻、

十曲峠《じっきょく》へ来られたし

押田内匠

と書いてある。

「十曲峠を知っているか」

と宿の主人に訊いてみると、

「このあたりではございません。落合宿の先、信州に入ったところに、左様な名の峠があると聞いて居ります」

という。

道中記で調べてみると、たしかに落合宿の先、美濃路と木曾路の境を越えたむこうに十曲峠の名があった。

「では、ともかく発《た》とう」

青ざめている治助をうながし、新八郎は早々に宿を出た。

大久手から次の大井宿まではたかが三里半だが、道中には名にし負う十三峠の難所が続く。

足弱の小篠がいなくなった分、小太郎を背負えば道ははかどるが、老齢の治助の足も考慮に入れねばならない。

大井から中津川、落合まで通して三里二十四丁。十三峠を越えてからそれだけ進むのはかなりきびしいが、ともかく今夜の中に落合宿へ入っておかないと、明日、辰の刻（午前八時頃）に十曲峠へ出むくのに間に合わない怖れがある。

小太郎を背にして、新八郎は道を急いだ。

十三峠は乱山起伏して十三の急坂が続くといわれる中仙道の難所の一つで、これは尾根を伝う山道であった。

江戸と上方《かみがた》を結ぶ大街道の一方である中仙道にこうした難所を故意に設けたのは、幕府の西国大名に備えての軍事的な配慮といわれている。天下泰平の今の世では、徒《いたず》らに旅人に苦痛を強いるようなものだが、それをいっても始まらないので、旅人は黙々と尾根の道を越えて行く。

焦るまいと新八郎は己れをいましめていた。

気持は敵が指示した十曲峠へとんでいるが、それはまだ先であった。

第一、今日の道中に敵が襲って来ないという保証はまるでない。

大井宿までの行程には立場《たてば》茶屋が三ヵ所にあると聞いていたが、その最初の一つ、婆《うば》が茶屋にたどりついた時に、もう正午であった。

昼餉に名物の餅を注文したが、小太郎も治助もあまり食欲がない。

たまたま、大井宿側から客を乗せて来た馬が二頭、ここで大久手宿から来る馬と交替して戻るというのを聞いて、新八郎は声をかけた。

この状態では到底、歩いて今日中に落合宿まではたどりつけないと思ったからだったが、幸い馬子《まご》は少々酒手《さかて》をはずんでもらえれば大井宿まで乗せて行くという。

馬は木曾駒であった。

総体にずんぐりしていて見ばえはよくないが、四肢《しし》は太く、急坂を上り下りするにはこれでなくてはと思われる。

どの馬も背の両側に荷を積み、まん中に客を乗せ、四十貫までは運べるというが、新八郎達はまず一頭に新八郎が小太郎を抱いて乗り、もう一頭に治助が少々の荷と共に乗った。

二頭とも鞍《くら》の代りに乗掛《のりかけ》という布団のようなものを背に敷いて、その上に客を乗せる。

新八郎にとっては少々、勝手が悪かったが、馴れてみると、これはこれで山道を行くに具合がよい。

道は思った以上にはかどって、巻金の立場まで来た時、新八郎は東から来た馬の背に俗に三宝荒神《さんぼうこうじん》と呼ばれる子供用の腰掛を見つけた。

それは馬の背の両側、普通は大きな荷を積むところに、四角い木枠を組んだ腰掛を固定するもので、まん中に大人が乗り、その左右の腰掛に子供が一人ずつ、つまり、三人が乗れるように出来ている。

一休みする間に、新八郎は馬子に頼んで、治助の乗る馬に、この三宝荒神を設けた。中央に治助、右に小太郎、左に荷という具合にすれば、新八郎は一人で騎乗出来る。万一、敵に襲われた際、馬の鞍に小太郎を乗せているのは、彼のために危険だと考えていたところだったので、この三宝荒神の乗り方はまことに都合よかった。

馬子が馬上に三宝荒神をしつらえ、治助が乗ってから、小太郎を抱き取って右側の枠組みの中へ入れる。

「どうだ。怖くないか」

新八郎が下から訊き、小太郎は大きくかぶりを振った。

この少年は今朝からの異常事態を承知していながら、新八郎にも治助にも何も訊かない。

ただ、新八郎が、

「母上は何かの事情で先へ行かれた。明日、昼までには必ず、わたしが連れ戻して来るから、それまで我慢してくれ」

といったのに対し、涙一杯の目でうなずいたきりである。

おそらく、母親が敵に拉致《らち》されたことに気がついていると思うのに、泣きわめきもしないで不安に耐えているのがよくわかる。それだけに新八郎は卑怯な敵のやり方に立腹していた。

非は彼らが仕えていた押田内匠にあるというのに、罪もない小篠母子に魔の手をのばすのは逆怨みも甚《はなは》だしい。

しかし、言って解る相手でもなさそうであった。新八郎に残されている手段は、小篠母子のために禍根を絶つしかない。

それにしても、いつ、どうやって大久手の宿から小篠を連れ出したのかと思う。

昨夜、小篠は武家娘と相部屋になって、新八郎達とは襖一枚をへだてたところに寝ていた筈である。

新八郎の場合、子供の時からの鍛練で、熟睡していたとしても、僅《わず》かの物音で目がさめる。

敵が夜中に隣室へ侵入して、小篠をかどわかして行ったとは思えない。小篠も声ぐらいは立てるだろうし、第一、あの宿の建てつけの悪さでは、音もなく忍び込むのは不可能であった。

更にいえば、新八郎が耳にした武家娘のせりふであった。

「お先に参ります」

と小篠に挨拶して出て行ったのは、まだ夜明け前、その時、小篠はまだ部屋にいたことになる。

それ以後、新八郎は布団に横になってはいたが、眠ってはいない。もし、小篠が部屋を出て行けば気づかないわけがなかった。

「待てよ」

馬上で、新八郎は己れに問いかけた。

あれは何だったのか。

目覚めた時である。

暁闇《ぎょうあん》の時刻にふと目がさめたのは、何かの物音のせいであった。

戸がきしんだような音だったような気がする。音が聞えたのはそれだけで、新八郎もあまり気にもしないでまどろんでしまったのだったが、もし、あの時、小篠が何者かによって外へ誘い出されたとすると、宿の下男が手水に起きて目撃した、庭を二人の女が歩いて行ったというのに、時刻から考えても一致するのではないか。

「そうか、あの女だ」

武家娘であった。

宿が混雑したので、女一人の旅人を宿の主人は小篠と同じ部屋にしてもらいたいと頼んだ。そうした例はままあることなので、新八郎は疑いもしなかったのだが、あの女が敵方の廻しものならばなにもかも合点が行く。夜明け前に小篠を欺《だま》して外へ連れ出し、あらかじめ打ち合せてあった敵の手に渡してから、さりげなく自分だけ部屋へ戻って、時刻を見はからい、さも、そこにいる小篠に挨拶するが如き言葉を残して立ち去ったのは、おそらく隣室の新八郎の耳に届くことを考えての上に違いない。

実際、新八郎は女の仕掛ける罠《わな》にはまって、小篠が部屋にいるものと思い込んでしまった。

我ながら迂闊《うかつ》だったと歯嚙みをしたくなる。

最初の物音にあやしんで廊下へ出てみれば、或いは小篠の後姿ぐらいは見えたかも知れないし、うまく追跡出来れば難なく小篠を取り戻せたかも知れない。

旅においては、途中から道連れになった者へ心を許すな、というのが鉄則であった。

僅か一夜の相部屋で、しかも、相手が女ということで、つい、油断したのが失敗だったと思う。

主君、根岸肥前守にこのことを知られたら、

「新八は女子《おなご》に弱い」

とお叱りを受けるところであろう。

明日は是が非でも小篠を助け出さなければと、新八郎はぼつぼつ暮れなずんで見える東の空を眺めた。

それにしても、敵は何者で、小篠を伴ってやはりこの十三峠を越えて行ったに違いないが、何故、果し合いの場を明日の十曲峠にしたのかと思う。

七本松坂、西行坂と越えて、山路も漸《ようや》く終りに近づいていた。

もう一息で大井宿という所で、道は永田川を渡る。

ここは谷川で急流な上に、橋には脚がなくて、川の中に大きな切り石を立てて、そこに両岸から板を渡して橋を二つに並べて架けてある。平行する二つの橋はどちらも幅が狭く、不安定であった。

馬子が馬から下りて徒歩で渡ったほうがよいというので、新八郎が後の治助に声をかけ、小太郎は自分が背負った。

身支度を整えて、いよいよ橋へ向う道を歩き出そうとした時、供を従えた武士が背後からやって来た。道中を急ぐらしく、新八郎達を追い越してずんずん先へ行く。

その武士の後を馬子が各々、馬を曳《ひ》いて橋へ近づいて行く。

武士と供は縦になって橋板を渡っていた。ちょうど川のまん中と思われる所で異変が起った。

何のはずみか、板がはずれて、まっさかさまに武士が谷川へ落下して行き、それを助けようとした供の男も、板にすがりつくような恰好で川に叩きつけられた。

後に続こうとした馬子が慌てて馬の手綱を曳き、岸辺へ後戻りをする。

小太郎を背にして、新八郎は対岸の木かげから男が一人、慌てて逃げて行くのを見た。

「どうも、えらいことで……」

茫然としていた馬子が、新八郎にいわれて川底をのぞき、

「生きていなさるようだが……」

と告げた。小太郎を背から下して新八郎が馬子と位置を代って見ると、武士は川に流されながら岩場にしがみついて居たが、供のほうは水底に沈んでしまったのか姿が見えない。

川べりへ下りて行く場所を探し、新八郎は馬子の一人と共に救出に下りた。

岩を伝って武士の傍へ近づき、気息奄々《えんえん》としているのを肩にかついで、なんとか岸へ戻った。

その頃には後から来た旅人が五、六人、上からこちらを眺めていて、その中の三人

ばかりが手助けに道を下りて来る。そうした人々が水底に沈んでいた供の男をみつけて引き上げたが、すでに息が絶えていた。

そうこうする中に大井宿へ知らせが行って宿場役人がかけつけて来、入れかわりに新八郎達は無事だったほうの橋板を渡って大井宿へ向った。

すでに日は暮れかけている。

大井宿で新八郎は馬を替えた。

大井宿の先に御番所がある。夕六ツ（午後六時頃）に閉ると聞いてひたすら馬を急がせて漸く間に合った。

中津川宿へたどりついたのは夜である。

宿場の手前に中津川があった。恵那山《えなさん》から流れ落ちる水脈が木曾川へ流れ込むのだが、宿場はこの川岸にあり、更に町が四ツ目川という枝川で東西に分断されていた。

本陣、脇本陣をはじめ、多くの旅籠屋《はたごや》は川の西側に集っている。

思うところがあって、新八郎は脇本陣へ宿を求めた。幸い、この季節大名行列は滅多にないので、江戸町奉行、根岸肥前守家来という通行切手の威力がものをいって、けっこう上等の部屋に案内される。

治助と小太郎を先に湯へやって、その間に新八郎は二通の書状をしたためた。

一通は根岸肥前守へ、もう一通はこの土地の領主、遠山刑部少輔友壽《ぎようぶのしようともひさ》の用人、鈴木金蔵にあてたものであった。

遠山刑部少輔友壽は美濃国恵那郡苗木一万二十余石の大名で、苗木城はこの近くにある。

江戸町奉行所というところは諸国の大名が参勤交替で出府した際、必ず、重役が殿様の代理といった恰好で挨拶に来る。

つまり、藩士が江戸でなにか事件を起した際に厄介をかけるということと、その際、なるべくなら主家の名を出さず穏便に取りはからってもらいたいといった意味合いで礼を尽すのだが、実際、地方から殿様のお供をして江戸へ出て来る侍の中には、勝手がわからず市中で迷子になったり、町民といざこざを起したり、或いは岡場所で狼藉《ろうぜき》に及んだりする者が珍らしくない。

どの事件も元をただせば、言葉が通じなかったり、ちょっとした誤解から大騒動になるので、それでなくとも江戸の民衆は地方出の侍を浅黄裏《あさぎうら》などと呼んで馬鹿にする傾向があるところから、つまらないことで喧嘩になりがちでもあった。

で、藩の重役としては、ことあるごとに町奉行所へやって来る。

実をいうと、二年ほど前、遠山家の侍が江戸で少々の事件を起し、それに新八郎がかかわり合って大事を小事におさめたことがあった。その時、新八郎の取扱いに感服して、以来、何かと昵懇にして来たのが、用人の鈴木金蔵という仁《じん》で、ちょうど今年の春、新八郎が主命を帯びて京へ発つのと、ほぼ同じ頃に殿様のお国入りの供をして苗木へ帰った。

新八郎が京へ発つことを知って、是非、帰りは中仙道を通って、苗木城へ立ち寄ってもらいたいと乞われたものの、御用旅ではあり、しかとした返事はしなかった。

が、今の新八郎にとっては唯一、信頼のおける相手である。

万に一つ、明日、敵と戦って武運つたなく落命した場合、心がかりは小太郎のことであった。保護を求めるとしたら、苗木藩しかない。鈴木金蔵に京での出来事を説明し、治助と小太郎が無事に善光寺へたどりつけるよう配慮してもらいたい、もし、それが難かしければ、明年、殿様の出府の際のお供のすみに加えてもらって、二人を江戸へ伴って行ってくれることは出来まいかと述べた。また、敵の手中に落ちた小篠についても探索を頼んだ。

根岸肥前守へ宛てたのは、御用旅の帰途、無事に復命することなく命を終る場合のお詫び状であった。

遅い晩餉をすませ、小太郎が眠った後で新八郎は治助に二通を托した。

「俺は明日、夜明け前にここを出て十曲峠へ向う。もし、俺がここへ帰って来なかったら小太郎を伴って苗木城へ鈴木金蔵どのを訪ねて行け。なんにしても、明日の午《ひる》すぎまでは、この宿から出るな」

治助は石のようになって新八郎の言葉を聞いた後、両手を突いて深くお辞儀をし、肩を落して小太郎の寝ている次の間に退いた。

新八郎は熟睡した。

眠りにつく前に心に浮んだのは、

「武士たる者は、常に剛胆にして細心であれ」

と教えられた根岸肥前守の言葉であった。

暁七ツ、新八郎はむっくりと起き上った。

その気配を聞きつけたように、治助が入って来て身支度を手伝った。

素早く出て行ったと思うと、土瓶に熱い茶と握り飯を皿にのせたのを運んで来た。

「昨夜、頼んでおきましたので……」

「これは有難いな」

喜んで新八郎は大きな握り飯を二つ、旨《うま》そうに平げた。

他に治助が用意したのは新しい草鞋《わらじ》の替えと竹筒に入った湯ざましである。

身支度を整えて玄関へ出ると、主人が待っていた。

「急用があって十曲峠まで行って来る。わたしが戻るまで供の者を頼む」

といった新八郎にうなずいてから、

「十曲峠は、これまでにお通りになったことがございますか」

と訊いた。

「いや、はじめてだ」

「峠としてはそれほど険しいことはございませんが、坂が九折《つづらお》りになって居りますので、十曲峠の名がございます。ただ、樹木の少いところで見通しはよろしゅうございます」

峠にかかる手前の新茶屋という宿場が美濃国と信濃国の国境だと教えた。

「そうか、峠は信濃国に入るのだな」

敵は美濃国を避けたかったのかと思い、新八郎はそこまで送って来た治助に、

「では、行って来る」

笑顔を残して街道へ出た。

外はまだ夜の気配で、宿の主人が用意してくれた提灯《ちょうちん》が足許を照らしてくれる。

次の落合宿までの一里は平坦な道が続いた。

夜があけて来たのは落合宿に入る頃で、提灯の火をそこで消した。

空は暗かった。

雲が厚く、朝陽を遮《さえぎ》っている。

その割に気温は低くない。

宿場を過ぎると山が片側にせまって来た。

そのむこうに恵那山がうっすらと姿を見せている。

天気が不安定なせいか、早立ちの旅人の姿はなく、近在の百姓が田畑へ下りて行くぐらいのものであった。

坂へ出た。

道しるべを見ると、このあたりから十曲峠らしい。

時刻はまだ卯《う》の刻（午前六時頃）くらいで、むこうが指定した辰の刻にはかなり早い。

最初からそのつもりで出かけて来たので、敵はいつ、どこから仕かけて来るかわからないが、その前に出来るだけ地形を知っておきたい気持があった。

昨日の永田川の橋板の転落は、明らかに何者かが仕掛けをしておいたに違いなく、たまたま、後から来た武士が新八郎を追い越して行ってその仕掛けにはまったのだったが、あの武士は供を一人伴っていたし、偶然だが、その背後にはそこまで新八郎達が乗って来た馬二頭が続いていた。

おそらく、敵は旅の武士を新八郎と見間違えたのではないかと思う。その証拠に、武士主従が谷川へ落ちた時、対岸の木かげから男が慌てて立ち去るのを新八郎は見ている。

幸い、武士のほうは命に別状がなかったが、供は水死していた。武士にしても一人では立ち上れないほどの大怪我《おおけが》であった。

あれが自分と治助だったらと思うと、つくづく敵の卑怯さに腹が煮える。

橋で失敗した敵が十曲峠でどんな罠《わな》を設けているか、新八郎が危機を感じているのはそのためであった。

坂は成程、九折りであった。

崖は切り立っていて、大きな木は少い。

たしかに見通しはよかった。

ただ、曇天である。

遠くに雷鳴を聞いたように思い、新八郎は空を仰いだ。

西から黒い雲が東へ動いている。

さっきまで見えていた恵那山が灰色の幕でも下したように消えていた。

風が火縄の匂いを運んできたのはその時であった。

轟音《ごうおん》より早く、新八郎は草むらに伏せた。

弾は新八郎の脇一間《いっけん》ばかりむこうを飛び抜けて行ったようである。

成程、飛び道具か、と新八郎は合点した。

敵が見通しのよいこの場所をえらぶ筈である。

しかし、敵の計算違いはこの天気であろう。晴れていればどこまでも見渡せようが、あいにくの空模様で、それもどんどん悪くなって来た。

時刻は朝だというのに、四辺《あたり》は夜の様相を呈している。

顔を上げて、新八郎は弾の飛んで来た方角を仰いだ。

遥か崖の上のほうに小さく人影らしいのが見える。むこうも下をさしのぞくようにしているのは、新八郎の姿を探しているものか。

ぽつんと雨が新八郎の頬に当った。いつの間にか風が吹き出していて、四辺の草むらがざわめいている。

雨は天佑神助《てんゆうしんじょ》だと思った。火縄がしめっては銃は使いものにならなくなる。

自分をねらっている銃は今のところ一挺《ちょう》しか確認出来ないが、他にもどこかにひそんでいるかも知れない。

草の中を新八郎は慎重に移動した。この先の道が折れまがっているあたりまで行けば、崖の上の狙撃者からは死角になる。

雷の音が近づいて稲光りが走った。雨はそれほど激しくなっていない。

強い稲妻が新八郎の行く手を照らした。

あっと思ったのは、そこに一人の男の姿があったからで、白刃を抜き、岩かげからこちらを窺っているのは明らかに暗殺者であった。

むこうも、思いがけない近さに新八郎を発見して狼狽《ろうばい》したようである。そのまま、新八郎の方へ走って来る。

新八郎は草むらを跳躍した。下手な場所で刃《やいば》をまじえては、上の狙撃者の恰好の標的になる。だが、相手は執拗に新八郎を追った。

ぐわんと大気を裂いて銃弾が街道の岩を撃った。

狙撃者も必死で新八郎の位置をねらっている。白刃が新八郎に襲いかかり、新八郎は跳んだ。身の軽さでは、剣の修行時代から定評がある。長身が撓《しな》って信じられないほどの飛距離を瞬間に移動するのを、友人達は、「隼の舞」だの「義経の八艘《はっそう》飛び」だのと仇名《あだな》したものである。

その新八郎のすぐ近くで弾丸が炸裂《さくれつ》した。間をおかず、白刃が斬り込んで来る。新八郎が跳んだ。どこかで馬蹄《ばてい》の音が聞えていたが、それを気にする余裕は新八郎にもなかった。

敵は焦って白刃を大きくふりかぶり、新八郎へ向って突進した。

すさまじい稲妻が宙を裂き、雷鳴が大地を慄《ふる》わせて、一瞬、新八郎は何か強い力にはじきとばされたように崖っぷちへよろめいて行った。その目に映ったのは、凄絶《せいぜつ》な敵の姿であった。仁王立ちになった相手の高くかかげた白刃から火焔《かえん》のような光がくり出されて、男の全身を貫いたので、それが落雷と気がつくまでには少々の時間がかかった。

雨の中で、新八郎は黒こげになった相手の死体へ歩み寄ろうとした。その肩をかすめて弾丸がとんだ。殆《ほと》んど同時に、全く別の方角から銃声が聞え、崖の上で絶叫が起った。

ごろごろと人が斜面をころがって下の道へ地響きを立てて落ちて来る。

そして、雨のむこうから人の声がした。

「隼どの……隼どのは何処《いずく》ぞ」

馬腹を蹴って峠を上って来た武士は陣笠に陣羽織、脇に槍をかい込んでいる。

その姿を稲妻が照らした。

「隼どのか」

「御用人でしたか」

新八郎が街道に立ち、鈴木金蔵は槍を供の男に渡してひらりと馬から下りた。

「御用人には、いったい……」

といいかけて、新八郎は気がついた。

自分が中津川の脇本陣を出発した後、治助は直ちに苗木城へ向ったのかと思う。鈴木金蔵の屋敷へかけつけて、主人の急を訴えたに違いなかった。

「稲妻の光で、この下の道から落雷の様《さま》を見届けましたぞ。落ちたのが隼どのでのうてよかった。雷公にも正邪の見極めはつくとみえますな」

豪快に笑って、鈴木金蔵が背後をふりむいた。続く馬上には青年武士がいた。銃を合羽の下に雨からかばって持っている。

「悴《せがれ》の金之助でござる。国許では殿様のお供でよく鹿撃ちに出かけて居るのじゃが……」

というところをみると、崖上の狙撃者を撃ったのは鈴木金之助らしい。

金之助の供の侍が、大地に倒れている狙撃者に近づいて体をひき起したが、主人のほうをみて首を振った。すでに死んでいるということで、新八郎も鈴木金蔵と共に傍へ寄った。

蓑《みの》と笠をつけているが、明らかに武士である。

「面体《めんてい》を見識《みし》られて居るか」

鈴木金蔵に問われて、新八郎は、

「いや、全く存じませんが、おそらく、御所役人、押田内匠の配下の者かと……」

と返事をした。

治助が鈴木金蔵の許へかけつけたということは、新八郎の書状はすでに彼の手に渡っている筈である。果して、

「京での、そこもとのお働きは国許へも江戸より知らせて参って居った。御苦労でござった」

とねぎらってくれ、

「それにしても、逆怨《さかうら》みも甚だしい」

と目を怒らせた。

「この先に茶屋がござる、まずはそこまで参ろう」

死体の後片付を家来に命じ、残りの者共がひとかたまりになって、新八郎と鈴木金

蔵を守る態勢になったのは、ひょっとしてまだ敵がどこかにひそんでいるかも知れないと用心してのことらしい。

十曲峠を越えたところに、茶屋があった。旅人が二人、雨宿りしていたが、入って来た鈴木金蔵をみると丁寧に挨拶した。

苗木城下の商人で鈴木家にも出入りをしている者だという。用事で松本まで行った帰りで昨夜は馬籠宿《まごめ》へ泊り、早朝、発って来たのだが、急な雷雨に驚いている。

もっとも、この地方では朝に雷が鳴るのは、そう珍らしいことではないらしい。

「お前達は雨の降り出しからここにいたのか」

鈴木金蔵が訊ね、

「雨宿りをしている最中に西のほうから誰か峠を越えて来なかったか」

というと、駕籠《かご》が一挺、深編笠の武士がついて、雨の中を東へ向って行ったと答えた。

「他には人っ子一人、通りません」

鈴木金蔵が新八郎を見、新八郎はうなずき返した。

「駕籠に乗っていた人物は見たのか」

新八郎が聞いてみると、

「垂《た》れが下りて居りましたので、しかとはわかりませんが、どうも、女子衆《おなごしゅ》のように思えました」

という。

おそらく、それが小篠ではなかったかという気もするが、ついていた深編笠の侍に関しては見当がつかない。

茶屋の者が茶だの餅だのを運んで来て、新八郎は漸く咽喉《のど》の渇きに気がついた。

外にいた藩士がやって来て、

「お供の方が到着致しました」

と知らせている。

茶屋へ入って来たのは、小太郎を背負った治助で、苗木藩士と思われる侍が四人ばかり同行している。

「旦那様……」

といったきり、新八郎の前に土下座した治助に、新八郎は手をさしのべ、ひき起した。

「そんなことをするな。今度も治助のおかげで命拾いをしたんだ」

実際、あの雷雨の中で新八郎が最後まで刀を抜かなかったのは、以前、江戸で或る事件にかかわり合った際、目黒の田畑の中の道で少年の抜いた刀に雷が落ちたのを目撃していたせいだったが、それでもあのまま相手が斬りつけて来れば、いずれは抜き合せねばならなくなったし、崖の上の狙撃者のことと考え合せると、今更ながら危かったと実感出来る。

「小太郎、雷の中の道中、怖くなかったか」

治助の背から下りた小太郎に声をかけると丸くなって新八郎の腕の中にとび込み、泣きじゃくった。

「すまない。なんとか母上を助け出そうとしたが、敵に逃げられてしまったようなのだ。だが、必ず、救い出す。もう少し、辛抱してくれ」

小太郎の背をさすり、いいきかせると神妙に合点している。

一休みしている中に雨が上った。新八郎の濡れた着衣も生がわきになる。外へ出てみると雷雲は西の彼方へ流れて行く。

「思いがけずお助けをこうむりかたじけないことでございました。御厄介をおかけ申してあいすみませせぬ」

新八郎の礼に対して、鈴木金蔵は大きく手を振った。

「他人行儀な挨拶は御無用。実は道中の警固に我が藩の者を数人、お供につけようかと存じて居るが……」

親切な申し出に新八郎は慌てた。

「お心遣いはありがとう存じますが、それには及びません」

押田内匠の配下の数もそれほど多くはあるまいし、第一、江戸町奉行の配下が苗木藩士に警固されて道中をしたなぞということになっては、主君の名を辱《はずかし》めると、新八郎が固辞し、鈴木金蔵も納得した。

「では、くれぐれも道中、気をつけられよ。来年は、また殿のお供をして江戸へ参る。その折は旅の話、お聞かせ下されよ」

「御厚情、立ち帰りまして主人に申し伝えます。刑部少輔様の御前体《ごぜんてい》、よしなに」

挨拶をかわして、新八郎は治助と小太郎を伴って街道へ踏み出した。

先刻の雷雨が嘘のように晴れ上った空には薄い白雲がたなびいている。

「旦那様、御用人様が……」

治助の声でふりむくと、十曲峠の九折りのあたり、こちらへ向って手を上げている鈴木父子の馬上の姿が秋日和の中にくっきりと浮んでみえる。

それにしても、あの十曲峠の決闘がこの秋晴れの中でなかったことを、新八郎は改めて神仏に感謝した。

第四話　木曾路の秋

一

木曾路に入っての第一夜は馬籠《まごめ》宿泊りとなった。

十曲峠で苗木藩用人鈴木金蔵と別れたのが、すでに午《ひる》を大きく廻っていたし、馬籠の次の宿場である妻籠《つまご》までは距離にして二里だが、木曾は山の中、街道の殆《ほと》んどが山道で上り下りの多いのを考えると、やはり治助や小太郎のためにもあまり無理はさせられないと思う。

新八郎にしたところで、果し状に応えて夜のあけない中《うち》に中津川宿を出て、十曲峠までをかなり急いでやって来た。

それは治助や小太郎も同様で、新八郎が宿を出るのを追いかけるように、まっしぐらに苗木城へ行き、鈴木金蔵に助けを求めてから、藩士達と十曲峠へ向ったので、おそらく二人とも、新八郎の無事な姿を見るまでは生きた心地もしなかっただろうと推量出来る。

それだけに、新八郎が「信濃屋」という旅籠へ入ると、二人が揃ってほっとした表情を見せた。

馬籠宿は江戸から来ると木曾路最後の宿場となるので、宿の数も八十余軒、町は急な坂道の両側に石垣を築いて平地を作り、その上に家々が建っている。

「漸《ようや》く木曾へ入ったな」

小太郎と湯に入って、新八郎は彼らしくもなく、しみじみとした口調でいった。

「小太郎の母上も必ず、この木曾路のどこかに居られる。なんとしてもお救い申すから、もう少し我慢をしてくれ」

敵が小篠を殺害するとは思えなかった。

ただ殺す心算なら、あのような厄介なことをして小篠を誘拐する筈《はず》がないので、小篠を囮《おと》りにして新八郎に対し有利な戦いを挑もうとしているのは、十曲峠でも明らかであった。

それにしても、どうしたらこちらから誘拐者に接触出来るものか、口には出さなかったが、新八郎は内心、途方に暮れていた。

敵が小篠に対して格別の待遇をしているわけがなく、捕われの身の小篠の体調は、日を重ねるにつれ悪くなっているに違いない。

一日も早く、一刻も早く小篠を助け出したいと思っても、敵が仕掛けて来ない限り、相手の居場所がわからないというのも歯がゆい限りであった。

「福島まで、あと十三里三十丁か」

部屋へ戻って道中記を開いて思案した。

中仙道、木曾福島の宿場には関所があった。

東海道に箱根、新居《あらい》の二つの関所があるように、中仙道もこの福島と碓氷《うすい》が屈指の関所になっている。

もともと、この地は徳川家康が木曾の豊かな山林と軍事防衛上の立地条件を考慮して、幕府の天領とし、木曾氏の遺臣である山村氏を代々、木曾代官に任命して山林の管理と関所番に当らせていたのが、尾張藩領となった今も踏襲されている。

その上、中仙道では、福島宿がほぼ江戸と京との中間に当ることもあって関所の取調べの厳しさでも知られていた。

関所の役人がもっとも目を光らせるのは箱根同様、入り鉄砲に出女であって、男は上り下りとも手形を必要としないが、女はどちらへ向うにせよ手形なしでは通行出来ない。

新八郎が福島の関所まで、十三里三十丁と数えたのは、小篠の通行手形を考えたからで、実をいうと、京を出る時、小篠母子の通行手形は新八郎がその筋を通して調達したものであり、しかも、念のために、関白家用人、細川幸大夫の添状がつけられていた。

この者、長らく当家に奉公せし所、老いたる親共へ孝養のため、信州へ帰郷致すべく暇を取らせるもの也、云々《うんぬん》、というもので、道中何かあった時には格別の取りはからいをするようにと但《ただ》し書がついている。

なにもかも、関白鷹司家の厚情あってのことだが、その小篠の通行手形は新八郎があずかっているので、誘拐された小篠自身は持っていない。

とすると、敵はどうしても福島の関所を越える前に、新八郎と決着をつけねばならない筈であった。

馬籠宿から福島宿まで、普通は二日の旅程であった。

一日六里少々は平地ならなんということもなかろうが、木曾はひたすら山道であり嶮岨《けんそ》な峠も少くない。

こちらは老人、子供連れだが、敵も女連れである。

おそらく、小篠は手足の自由を奪われて駕籠《かご》に押し込まれての道中ではないかと思い、再び、新八郎は暗澹《あんたん》たる気分になった。

馬籠宿の一夜があけて、信濃屋を発つ時、新八郎は念のため、宿の主人に訊《き》いた。

「このあたりから東へ向う旅人で、駕籠を用いる者はおよそ日にどれほどあるものか」

主人が苦笑し、首を振った。

「さて、その日その日の空模様なぞにもよりましょうが、御存じのように、このあたりで用いて居ります山駕籠は、そう乗り具合のよいものではございません。また、人足の中には量見の悪い者も居りまして、心細い山中などに限って酒手をねだったりすることもあるようで、旅のお方もそのあたりはよく心得て居られます」

言外にあまり勧めたくない口ぶりであった。

「すると、駕籠で行く者は、そう多くはないと申すことか」

「お大名の行列とか、格別の御身分の方が然《しか》るべき御乗物で通られるのはともかくでございますが……」

たしかに、身分のある者は道中を専用の乗物で通すので、そうでもない一般の者が宿場で調達する駕籠は、東海道では俗に雲助駕籠などと呼ばれる粗末なものであった。それが中仙道も木曾路となると底が円形で、しかも竹の棒でかつぐという簡素な山駕籠だから、宿の主人がいう通り、あまり乗り心地はよくないにきまっている。

信濃屋を出て、水車小屋の近くの問屋場《といやば》へ寄って、新八郎は今朝、ここから駕籠を頼んで東へ向った旅人はないかと問うた。

二組あるという返事であった。

乗ったのは二つとも女で、同行していたのはどちらも武士、但し、一組には二人の侍が、もう一組には一人の侍がついて行ったという。

「それは、何刻ぐらいか」

やや、いきおいこんで訊いた新八郎に、問屋場の男は、どちらも、つい小半刻《こはんとき》ほど前だといった。

新八郎は待たせていた治助と小太郎の許へかけ戻ると、早速、小太郎を背負った。

「もしかすると、母上に追いつけるかも知れぬぞ」

駕籠に乗って行ったのが小篠とは限らないが、その可能性も捨て難い。

なんとか妻籠までの間に先発した二つの駕籠に追いついて、乗っている女を改めたいと新八郎は治助に告げた。

馬籠宿は出はずれるとすぐ陣場坂にかかる。

少々、雲が厚いが雨の気配はなく道中には暑くも寒くもないのが先を急ぐ身には具合がいい。

山道には荷駄を積んだ牛が目立った。

峠村と呼ばれるこの附近には牛方《うしかた》が多く住んでいて、各々、飼牛を持ち木曾谷を往来する旅人の荷を運んだりしているらしい。

妻籠峠にかかったところで、東の方から戻って来た牛方に治助が訊いてみると、山駕籠に武士が一人ついた旅人と一石栃《いっこくとち》茶屋の近くですれ違ったという。

「そう遠くはないいな」

道中案内を頭に叩き込んで出て来た新八郎が呟き、治助の足も速くなった。

「小父《おじ》さん、下りて歩く」

背中から小太郎がいい、新八郎は笑った。

「心配するな、お前をおぶっていたぐらいで足が遅くなりはしないよ」

実際、新八郎の体力では、小太郎をおぶっての道中くらい何ということもないので、追って行く駕籠との距離が縮まって来ているとわかった分だけ、はずみがついている。

御番所があった。

これは旅人を改めるのではなくて、尾張藩が山中から運び出される檜《ひのき》などの木材を検問する所であった。

番所を越えると、やがて道の左手に滝の落ちているのが眺められる。

「治助、一休みして行こう」

馬籠宿から歩き続け、それもかなりな速度で道中して来ている。流石《さすが》に治助の体力が心配になって声をかけると、新八郎は背中から小太郎を下した。

ひたすら、おぶさって来たほうも楽ではなかったろうと気がついたからで、小太郎は子供らしくそのあたりを走り廻り、滝に近づいては驚きの目を見張っている。

治助も背中の荷を下し、腰に提げていた竹筒をまず新八郎に渡した。

三人ばかりの旅人が滝を見物していたが、三人共、商人のようで、近くに山駕籠が待っていることもない。

「この先にもう一つ滝がございまして、そちらが雄滝、これは雌滝のようでございますよ」

商人達に訊いたと治助が教え、新八郎は手拭《てぬぐい》で汗を拭いた。滝壺から吹き上って来る風が快い。

竹筒の水を三人で飲み合っているところへ牛を曳《ひ》いた男が東のほうからやって来た。滝の近くの立木に牛をつないだのは、ここで一休みするためらしく、それを見て治助が近づいた。

が、戻って来た時はしきりに首をかしげている。

「どうもおかしゅうございます」

新八郎に告げた。

「あの牛方が申すのですが、山駕籠にお侍が一人つき添って道中するのに出会ったが、そちらは橋場村の先、追分から飯田街道を下りて行ったとのことで……」

橋場村は妻籠橋場村ともいい、この先の妻籠峠を越えたところにある。中仙道はそこから追分を経て妻籠宿に至るのだが、追分からは飯田へ抜ける飯田街道が分れている。

山駕籠に武士が一人ついた一行は、その飯田街道へそれて行ったというのであった。

「間違いないのか」

「へえ、牛方に念を押しましたのですが……」

「はて」

少しばかり考えて、新八郎はあっと思った。

中仙道の福島宿の先は宮《みや》の越《こし》宿、藪原《やぶはら》宿、奈良井《ならい》宿と続き、贄川《にえがわ》宿に出る。その贄川宿には福島関所ほどではないが、やはり旅人の通行を改める番所がおかれている。それは、贄川宿と福島宿との間には飛騨へ抜ける道や伊那《いな》へ出る脇道があって、東から来た旅人が福島関所を通らず、廻り道をして再び中仙道へ出ることが可能なためで、それを贄川番所で検問するのが大きな役目だと聞いていた。

東から来る旅人の抜け道は、西からの旅人にも同様であった。

妻籠の手前、追分から飯田街道へ入り、飯田を通ってひたすら行けば、やがて伊那宿、そして松嶋宿、宮木《みやぎ》宿と進めば贄川宿へ出る方法がある。

通行手形を持っていない小篠を連れて福島関所を越えるのは厄介と考えた敵が脇道を行くのはあり得ることであった。

それを治助に話すと、成程と合点する。

「ともかくも、その山駕籠を追ってみよう」

無駄かも知れないが、万一という僥倖《ぎょうこう》も捨てかねた。

再び、小太郎を背負って雌滝を後にした。

途中、幾筋か川があったが、みな南へ向って流れている。

村落は殆んどなくて、たまに板葺《いたぶ》きの家があるのは山林で働く者の住みからしい。屋根には石をのせて風を防ぎ、板壁が目立った。

橋場村の先に少々川幅のある渓流があった。道しるべをみると、その川沿いの道が飯田街道で、街道と名乗るのが恥かしいような杣道《そまみち》であった。

むこうから薪《まき》を背負った男がやって来たので声をかけ、訊《たず》ねてみると、山駕籠はおよそ三十丁ばかり先を行っているらしい。

次の宿場の広瀬までは二里、それから木曾峠を越えて大平村《おおだいら》まで三里とのことで、木曾峠からこちらは尾張藩領だが、そのむこうは信州伊那郡飯田藩領となるという。

また、飯田街道に沿って流れている谷川は蘭《あららぎ》川といい、広瀬宿の手前には川の名となった蘭村があると山男は親切であった。

「大丈夫か。あと一息だぞ」

治助をはげましながら、新八郎は油断なく周囲に目をくばった。

もし、敵が小篠を囮りにして新八郎達をこの山峡の道へ誘い込んでいるとしたら、いつ、どこから仕掛けて来るかわからない。

だが、見渡す限りのどかな山里であった。田畑はないが、ぽつんぽつんと家がある所には必ず伐《き》り出したばかりの材木が並んでいて、その木の皮を剝《は》いでいる人々の姿がある。

そうかと思うと、すでに板になったのを木かげに立てかけて干している風景もみえた。

山道が更に険しくなって、新八郎は息を切らしている治助のために、道ばたに落ちていた木を拾い枝を払って俄《にわ》かごしらえの杖にしてやった。

周囲は鬱蒼《うっそう》とした樹林であった。圧倒的に檜が多い。

道は間もなく下りになって前方が開けて来た。そこに小さな村がある。

「旦那様」

治助が小さく呼び、新八郎もそれに気づいていた。

山駕籠が道のすみに止っている。

武士が一人、その脇に立っていたのが、こちらをふりむいていた。

小太郎を背から下し、治助にあずけてから新八郎は素早く武士に近づいた。

みたところ四十そこそこだろう、中肉中背といった体格で新八郎にむけた視線はむしろ穏やかであった。

山駕籠には誰も乗っていない。

「卒爾《そつじ》ながら、ものをお訊ね申す。手前、姓名は隼新八郎と申します」

相手は新八郎をみつめたまま、うなずいた。

「手前に何か御用でござるか」

「子細がございまして、御無礼を承知でお訊ね申します。この駕籠にてここまで来られた御方の姓名を承りたい」

山駕籠の上には女物の笠が結んであった。

「これは、思いもよらぬお訊ねかな」

武士がまじまじと新八郎を眺めて苦笑した。

「おさし支えなくば、その子細とやらをお聞かせ願いたいが……」

女の声が聞えた。

山駕籠の止っている脇に板屋根の粗末な家がある。声はその家の中から聞えて来るのであった。

新八郎がそれを意識し、武士がそのことに気づいたようにつけ加えた。

「御案じなく、この駕籠に乗って参った者は逃げもかくれも致さぬ。只今《ただいま》、この家の病人を見舞い、京土産などを披露しているところでござる」

武士の視線を受けて、新八郎はどうやらこれは人違いであったかと気づきはじめていた。

武士の人品骨柄からして、とても押田内匠の残党とは思えない。とはいえ、用心を忘れはしなかった。

「御無礼のお詫びに、かいつまんで子細をお話し申します。実は手前と共に京より参った者が、あろうことか大久手の宿にて何者かによって拉致されました」

ほうと武士が声を漏らした。

「その者は、あれに居ります少年の母親にて、拉致されました理由は、おそらく手前に怨《うら》みを抱く者が手前を誘い出す囮りにせんとでも考えたものか、ともかく、ひたすら後を追って参りましたところ、昨日は十曲峠で彼らの襲撃を受けました」

「では、十曲峠にて鉄砲の音を耳にしたのは、そこもとが襲われたのでござったか」

「こなた様には、銃声をどこでお聞きなされた」

「峠の茶屋で雨宿りをして居る時に。家内は雷鳴ではないかと申したが、わしは銃声に間違いはないと思うた。しかし、飛道具とは卑怯な……よう御無事でござりましたな」

家の中から女が姿をみせた。

「旦那様、お咲が貴方《あなた》に御挨拶を申し上げたいと……」

新八郎を見て、あらというように立ち止った。

「織江《おりえ》、ここへ来て隼新八郎どのに御挨拶せよ」

武士が呼び、織江と呼ばれた女は丁寧に腰をかがめた。三十のなかばか、上品な面立ちながら好奇心に満ちた目を新八郎に向けている。

「お噂は京にてよう耳に致しました。中仙道を江戸へお戻りでございますか」

新八郎はぼんのくぼに手をやった。

「お許し下さい。とんだ人違いでした」

武士が破顔した。

「すると、妻籠峠で手前共のことを聞かれたのか」

「左様です。山駕籠に侍一人がついて峠を下りて行ったと知り、もしや、拉致された者が駕籠に乗せられて行ったのかと……」

「成程、そううかがえば、そこもとが間違えられたのも無理ではない」

改めて名乗った。

「手前は飯田藩士、山上庄大夫と申す者、長らく大坂の藩邸詰めを仰せつかって居りましたが、この程、国許へ呼び戻され、妻と共に帰国致す途次でござる」

念のためと懐中より道中手形を出して新八郎に見せた。

「では、堀大和守様の御家中でございましたか。知らぬこととはいえ、とんだ粗忽《そこつ》を致しました。お詫びの申しようもございません。何卒、御寛恕《かんじょ》の程を……」

地に膝をつこうとした新八郎を山上庄大夫が制した。

「左様なことはなされまいぞ。あやまちは誰にもあること。まして、そこもとのお立場を思えば……さぞかし御心配でござろう」

ふと気づいたように、妻女へ低くささやき、妻女は合点して家のほうへ走って行く。

「隼どのが御所役人の粛清に骨を折られたことは、京でもしばしば聞いて居りました。怨みを持って襲って来る者共とは、おそらくその一件にかかわりのある残党でもござろうが、逆怨みもはなはだしい」

新八郎は答えなかった。相手が飯田藩の重役とわかっても、迂闊《うかつ》なことは口に出せない。

「して、隼どのはこれからどうなさる」

「中仙道へ戻ろうかと存じます」

敵がこの道を行ったのでなければ、徒《いたず》らに遠廻りをすることになる。

妻女が戻って来た。手に檜笠《ひがさ》を持っている。

「これは、この家の者達が日頃、手作りにして居るもので、道中にはなかなか具合がよいと存ずるので……御邪魔かも知れぬがお持ち下さい」

治助を手招きして渡したのを見ると、檜の板を細く割いたので編んだ風雅な笠である。大人用が二つに、子供の小さな笠まで添えてある。

「御無礼を働いた上に、かような頂戴物を致し、恐れ入ります。御厚志有難く頂いて参ります」

「道中、くれぐれもお気をつけられよ」

山上庄大夫夫婦に見送られて、新八郎は治助と小太郎をうながし、蘭川沿いに今来た道を戻った。

「とんだ人違いをしてしまったな」

我ながら口惜しい声が出て、新八郎は治助に笑った。

「俺の勘もあてにならない」

「いいえ」

治助が檜笠に目を落した。

「手前がしくじったのでございます」

あれは番場宿だったといった。

「うつば屋と申す宿で、あちら様と泊り合せて居りました」

新八郎は顔をみていないが、治助は宿の女中からきいていた飯田藩の侍夫婦が早発ちして行く姿をみかけている。

「駕籠にお侍が一人ついて飯田街道を行くと聞いた時に、それを思い出して居れば、或いはと旦那様に申し上げられましたものを……」

「俺も思い出したよ」

飯田藩士だという夫婦連れが「うつば屋」に泊っていたのは、たしかに聞いたおぼえがあった。

「よりによって、俺達の前を行くとはなあ」

中仙道の追分に出るまでが長かった。

すでに昼餉《ひるげ》の時刻はとっくに過ぎている。

漸く追分に戻り、妻籠宿にたどりついた時には釣瓶《つるべ》落《おと》しの秋の陽が山の端へ落ちて行った。

大野屋という脇本陣に次ぐ上等の宿へ草鞋《わらじ》を脱いだ時は、新八郎も意気消沈といった体《てい》であった。今日一日を無為に歩き廻ったということが疲労を重くしている。

だが、てっきり小篠と思って追って行った駕籠の主が人違いだという衝撃が一番、激しかったのは小太郎であるのに気づかされたのは晩餉の膳を囲んだ時であった。

新八郎にうながされても箸を取らない小太郎に、

「どうした、具合でも悪いのか」

と声をかけたとたん、いきなり小太郎が新八郎にしがみついて大声で泣き出したものである。はっとして、新八郎は細っこい少年の体を抱きしめた。

「すまない。俺がそそっかしくて、今日も小太郎の母上に追いつけなかった」

耳許にささやくと、小太郎が頭を振った。

「小父さんが悪いんやない。小父さんのせいやない……」

ただ悲しいのだというように、新八郎の胸に顔を埋めて泣いている。その小さな背を新八郎はひたすらさすり続けた。他にこの子を慰める方法がみつからない。

暫《しばら》くそうしている中に、小太郎は涙をおさめた。自分から新八郎の膝をすべり下りて両手を突いた。

「かんにんしとくれやす。もう、泣かん」

「いいんだ。泣きたい時には泣けばいい。俺も泣きたい気持なんだ」

新八郎の目と小太郎の目が合った。

「小父さんはお侍だから、泣いたらあかん」

「そうだなあ。一生懸命、我慢しているんだ」

少年の表情がほころんだ。

「坊も、もう泣かん」

「ああ、飯にしよう。腹一杯食って、ぐっすり眠って、明日こそ、母上に追いつこう」

膳の前にすわらせると、小太郎は素直に箸を取った。

「小父さんも食べんと……」

「ああ、頂こう」

空腹であった。考えてみると、今日の昼餉は、治助が茶店で買って来た五平餅《ごへいもち》を歩きながら食べただけで、それは治助も小太郎も同じであった。飯田街道の蘭村までは駕籠を追うのに夢中で飯どころではなく、蘭村から戻る道では、がっかりしたせいで食欲を失っていた。

飯がすみ、女中が夜具を敷いて行くと、小太郎は自分から布団にもぐり込み、あっという間に寝てしまった。治助は部屋のすみで三里《さんり》に灸をすえている。

明日はどうなるのかと新八郎は旅日記をつけながら考えていた。今となっては少しでも早く仕かけて来いという気持であった。

どんな卑怯な手段で来ようとも負けてなるものかと思う。敵のすべてを叩っ斬って小太郎のために小篠を取りかえさずにはおかぬと新八郎の心中にはかつてないほどすさまじい闘志が湧いて来た。

寝る前に大刀を抜いて刀身を検《あらた》めたのも、その闘志の故である。

夜半から雨が降り出していた。山の天気は変りやすい。

朝になって雨は上りかけていた。

膳を運んで来た女中の話だと、このあたりではそこそこの雨でも山の上のほうではかなりのどしゃ降りになるので忽《たちま》ち木曾川の水位が上るという。

今日、新八郎達が歩く三富野《みどの》宿と野尻宿の間は木曾川沿いの切り立った崖のへりを行くので充分、気をつけろと念を押した。

「昔は崖を横切って棚のような恰好の桟《かけはし》が渡してございましたとか。木曾の桟と歌にまで歌われた難所だったそうでございますが、今では石組みなぞも出来まして、それほど危険と申すことはないようで……」

宿の主人に聞いたと治助が話し、新八郎は念入りに足ごしらえをした。

宿場を出はずれて少しばかり行くと木立の中を行く峠があり、そこから谷をへだてたあたりに妻籠城の跡が残っているところから、その小山を城山と呼ぶらしい。

妻籠からは殆んど下り坂で道は昨夜の雨で濡れているが歩きにくいほどではなかっ

た。

今日も新八郎は小太郎を背負っていた。

そのほうが道がはかどるからだが、小太郎は大いに不満らしく、しきりに下りて歩くといい続ける。

「まあ待て、もう少し道が乾いて来たら歩かせてやる」

と新八郎はいったが、街道はしばしば谷川にかかる小橋を渡るので、なかなか小太郎の希望をかなえてやるわけには行かない。

このあたりの谷川はみな木曾川の支流で、昨夜の雨の故だろう水量は多く、濁った流れが岩にぶつかりながら音をたてて行く。それらがこの山すそのどこかで木曾川へ流れ込むのだから、宿の女中がいったようにかなりの激流になっているに違いない。

三富野宿までが一里半であった。

いつの間にか街道の北側に木曾川が見下せるようになっている。

これは凄《すご》い眺めだと新八郎は思った。

崖の上から見る木曾川は黒い奔流であった。

波が逆巻き、怒濤のように大木や岩までを押し流して行く。

川幅は下流へ行くほど広くなるようだが、ところどころ、流れのせいか崖をけずってそのあたりだけが蛇が蛙を呑み込んだようにふくれている場所もある。

中仙道はそうした怖しい風景を眺め下す所があるかと思うと、急に林の中へ入り、その先の里へ出ると木曾路には珍らしい畑が両側に続いたりする。

「蕎麦《そば》畑でございますね」

治助がほっとしたように呟いた。

収穫の時期とみえて、畑には刈り取りをする百姓の姿がある。

そのむこうは麦畑であった。こちらはまだ青々としている。

小太郎は新八郎の背からすべり下りて畑の中の道を走り廻っていた。母親が危機にさらされているとはわかっていても、そこは五歳の少年で、新八郎にしても小太郎が束の間でも、つらいことを忘れているようなのに安堵《あんど》する気持であった。

十二兼《じゅうにかね》の宿場で昼餉にした。

土地柄、商っているのは蕎麦だが、江戸で食べるのにくらべると色も黒いし、太くて舌触りが荒かった。もっとも、蕎麦の香がよくて、やや濃いめの汁も悪くはない。

三富野宿から野尻宿の間は木曾路の中でも寂しく何もない所だと旅行記などには書かれていて、たしかにその通りだが、こうして畑の中を行くと、ここが山中の里だというのを忘れたくなるくらい、のどかでもあり、穏やかでもあった。

もっとも、里を出はずれると、また崖沿いになる。断崖に貼《は》りついたような道だが難所というほどではなかった。

三富野宿の茶店で聞いてみると、昔は断崖に道がなく、崖に棚でも吊ったように板を突き出して道を作り、往来の旅人はその上を渡って行くので踏みはずせば命の終りとなり、雨風の激しい時なぞは馴れた者でも渡れたものではなかったらしい。

そういった道を木曾の桟と呼び、このあたりに数ヵ所もあったものだが、徳川の世になって少しずつ工事が行われ、とりわけ尾張藩に命じて街道の整備を進めたので、今、桟として残っているのは上松《あげまつ》宿と福島宿の間の波計桟道《はばかりさんどう》のみになったという。

従って、今では木曾の桟といえば波計桟道のことになって、それとても石垣を築いて土止めをして造られているし、手すりもついているので昔日の面影は全くないと聞いて新八郎はともかく、治助は胸をなで下した。

歩き続けて野尻宿に来た。

三富野から二里半で、それまで雲の厚かった空が漸《ようや》く晴れて来た。

木曾川はこのあたり川幅はけっこう広くなっているらしいが、野尻宿からは見えない。

「須原《すはら》までは一里三十丁だな」

草鞋《わらじ》の紐を結び直しながら、新八郎が一人言のようにいったのは、須原から次の上松宿まで三里半あるので、小篠を追う立場からは少しでも前へ進みたいが、なにせ木曾は山道ばかりで、とても平地を行くようには道がはかどらない。

晴れて来ているから、須原宿ではまだ日は暮れまいが、そこから三里半となると、途中で夜になる可能性が高い。自分一人なら何ということもないが、治助と小太郎がいる。

治助が用心のために新しい草鞋を買って戻って来た。

「この先、須原宿の手前、橋場と申します近くに伊奈川橋とかいう橋がございまして、下を流れる伊奈川が雨の後などはけっこうな暴れ川になるそうでございます」

上流から土砂と一緒に岩や大木を流して来るので、橋に打ち込んだ杭がすぐに折れてしまう。そのために、両側の崖に石垣を作ってそこから川の中央にむけて板を組み反《そ》り橋《ばし》を造った。

「危いことはないが、うっかり下の谷川をのぞくと目を廻すと脅されました」

と治助は苦笑している。

「木曾で反り橋は珍らしいな」

江戸では大方が反り橋であった。橋の中央が高く、そこから両岸へ弧を描いたような恰好の、いわゆる太鼓橋の大規模な形である。両岸からは橋桁《はしげた》が何本も川の中に組まれ、勿論、それを支える杭も打ち込まれているが、中央は自力で橋が支えられているのであった。

だが、治助の話によると、伊奈川橋には全く杭はなく、川の上に反り橋が宙に浮いたような形で架けられているらしい。

「心配するな。そこへ行ったら俺が背負ってやる」

と小太郎にいったが、少年には谷川の反り橋が如何《いか》なるものか想像も出来ないようで、笑いながら首を振っている。

それにしても、敵はどこまで先へ行っているのかと思う。なにしろ、昨日は丸一日、行程を無駄にしている。

黙々と歩き続けて一刻（二時間）近く、途中から新八郎は小太郎を背負った。

不審に思ったのは、東の方角から来た木樵《きこ》り風の男が、新八郎達を見ると急に踵《きびす》を返して元の道を走り去ったことである。

「治助」

声をかけて、新八郎は小太郎を背から下した。それだけで治助も危機を感じたようである。

往来は人が絶えていた。

新八郎が先に進み、少し離れて治助が小太郎の手をひいて続いた。

山道のむこうに谷川の瀬音が聞えて来た。轟々《ごうごう》と、まるで太鼓でも打ち鳴らしているようにすさまじい。

橋が見えた。

成程、反り橋である。

そこまで来て、新八郎は対岸の橋の袂《たもと》に深編笠の侍が立っているのに気がついた。

その侍の背後に女が一人。小篠であった。

新八郎は二人の男女から目を離さず、治助にいった。

「小太郎と少し下って居れ、決して近づくな」

「旦那様」

治助の声は腹の奥から絞り出したようであった。

「お気をつけて……」

橋に向って新八郎は踏み出した。

むこうは全く動かない。

橋の中程まで来た時、治助の声が聞えた。

「旦那様、うしろに……」

はっとふりむくと、どこにかくれていたのか侍が一人、手に猟師の持つような銃を提げて橋の袂《たもと》に姿をみせた。ちょうど新八郎の退路を断つ位置に立つ。

治助は小太郎を抱いて大きな杉の木のかげに逃げていた。そこから必死の形相《ぎょうそう》で新八郎を見つめている。

鉄砲を持つ侍と治助達の距離は十間《けん》と離れていない。だが、侍は治助達には一顧だにしない。まるで自分にかかわり合いがないといった風情であった。

「新八郎、待っていたぞ」

対岸の深編笠の侍が余裕を持って呼びかけた。ゆっくりと笠を取る。

「貴様、土屋兵介」

思わず声が出た。

男はかつて京都町奉行所同心であり、小篠の兄に当る土屋兵介であった。

新八郎達が押田内匠の悪事の証拠を摑んで京都所司代へかけつけようとした夜、新八郎へ斬りかかって来、新八郎は彼を川へ突き落した。それ以来、行方をくらましていたものだが、その土屋兵介が中仙道をここまで来ていたとは思いもよらぬことであった。

それにしても合点が行かぬ、と新八郎は慌しく思案した。

この中仙道の旅で深編笠の侍が新八郎一行の周囲に出没したのは何回かあった。

最初は近江路の高宮宿の先、多賀大社の近くで、押田内匠の配下であった岩田章吾という御所役人が袈裟がけに斬られ、胸を突かれて絶命しているのを見た。その時、目撃者が深編笠の侍が下手人らしいと訴えているのを耳にした。

そして、二度目は番場宿の手前、小磨針峠で、遥かな谷あいの道を深編笠の侍が下りて行くのをみかけた直後、その先の道で、やはり押田配下と思われる侍が死体になっていた。

が、それっきり深編笠の侍の姿はみていない。

よもや、あれが土屋兵介とは思えなかった。

少くとも、今、目の前にいる土屋兵介は押田配下の連中と行動を共にして来たかに見える。が、思い迷っている暇はなかった。

「土屋兵介、貴様、なんのために小篠殿を拉致した」

新八郎が叫び、兵介が顔をゆがめた。

「小篠は俺のものだ」

「小太郎の気持を考えぬのか。幼い者とひきはなして不愍《ふびん》とは思わぬのか」

「餓鬼に用はない。伏木の悴なんぞぶっ殺してやる」

「貴様、鬼か」

新八郎が足を踏み出し、土屋兵介が大刀を抜いた。

「小篠を取り返したくば、ここまで無腰で来い。両刀を捨てるのだ。さもなくば、小篠を斬る」

「なんだと……」

「後を見るのだ。新八郎、もはや逃れることは出来ぬ」

新八郎は体を開いた。橋と平行に立てば、土屋兵介も、もう一方の侍の動きも見える。

「隼どの、久しぶりですな」

鉄砲を持った侍が声をかけて来た。男にしてはやや甲高い、独特の声に聞き憶えがあった。

「いつぞや、押田様の屋敷に小篠どのを取り返しに来られたでしょう。あの折、応対したのは手前でござる」

そうだったと新八郎も内心で合点していた。

まだ若く、女のように華奢《きやしや》な侍が新八郎を遮ったが、あの時の新八郎はかまわず突き倒して屋敷内に入り、物置に押しこめられていた小篠を救出した。

「改めて御意を得ましょう。隼新八郎どの、手前は岩田章吾の弟、岩田健三郎と申します」

銃口がすっと上った。

それを見て土屋兵介が叫んだ。

「新八郎、どうする。これでも小篠が取り返せると思うのか」

その瞬間、小篠が動いた。

土屋兵介の背を突きとばして、まっしぐらに新八郎へ走り出す。

「おのれ」

兵介の大刀が小篠にふり下され、それでも小篠は走っていた。新八郎も我を忘れて小篠へかけ寄る。

銃口が火を吹いたのは、その時で、みつめていた治助が思わず叫び声を上げたのだったが、その目は信じられないものを見た。

胸許を押えて、橋のすみによろめいて行ったのは土屋兵介であった。

「健三郎……おのれ、何故《なにゆえ》……」

銃を提げて岩田健三郎が橋を渡って来た。小篠を抱き起している新八郎の脇を通って土屋兵介の傍へ行く。

口から血泡を吹きながら、土屋兵介はもう動けないでいた。目は死んだ魚のように宙へ向けられている。

「何故というのか、土屋兵介。ならばいって聞かそう。兄の敵討《かたきうち》だ。わたしが何も気づかないでいたと思うか、愚か者奴《め》が……」

鉄砲の尻で土屋兵介の体をあっという間に橋の下へ突き落した。

小篠を抱いたまま、新八郎も橋のへりへ寄って谷川をのぞいた。

どす黒い濁流に呑み込まれたのか、土屋兵介の姿はどこにも見えない。

橋のむこうから小太郎と治助が狂気のように走って来た。

岩田健三郎は、反対側の橋の下をのぞき、新八郎をみて、にこりと笑った。

「下手な鉄砲も数撃てば当るというのは本当ですね」

橋を渡って行って、おずおずと出て来た猟師らしい男に鉄砲を返し、新八郎をふりむいた。

「とにかく、怪我人を運びましょう。須原宿はすぐ近くですから……」

西のほうから背に材木を積んだ馬が来た。

その馬子に健三郎が近づいて何かいっているのを目のすみに見ながら、新八郎は小篠の手当をはじめた。

敵か味方か、岩田健三郎という男が、全くわからない。

二

須原宿の日ノ木屋という旅籠へ傷ついた小篠を運び込んで、新八郎はすぐに医者を呼んでもらった。

いい具合に、近くに上手な外科の医者がいると聞いたからで、間もなくやって来たのは医者というより木樵りか猟師といった面がまえの大柄な男だったが、手ぎわは悪くなかった。

新八郎が出血止めに巻いた手拭《てぬぐい》をほどいて、小篠の背中をひろげ、持参した徳利から水か酒か、口に含んでは何度も傷口に吹きかける。

「これは、たいした傷ではないな」

黒っぽい薬を塗った膏薬《こうやく》をべたべた貼《は》りつけて、今夜はうつ伏せに寝るようにといってさっさと帰って行く。

「大丈夫でございましょうか。あのような乱暴な手当で……」

次の間から様子を窺《うかが》っていた治助が心配そうにいい、新八郎は医者の後を追って帳場へ出た。

医者の姿はなかったが、たまたま入口のところで宿の亭主と話をしていた女が新八郎を見て、

「ああ、やっぱり、隼様」

と声を上げた。

「みゆきどの……」

地獄で仏というのも大袈裟《おおげさ》だが、その時の新八郎には、この上もない助っ人が現われた感じであった。

「お怪我をなすったのは小篠さんなのですね」

「どうして、それを……」

「伊奈川橋のところで、土地の人が話していたのを小耳にはさんだのです。お侍が鉄砲で撃たれて川へ落ち、お連れの女の人が斬られたと……女の人には二人のお侍とお供の年寄と子供がついて須原宿のほうへ行ったというので、よもや、隼様が撃たれたとは思いませんでしたけど、心配で……」

喋《しゃべ》りながら、岡本みゆきは手早くすすぎの水をもらい、草鞋を脱いでいた。

出す。

「どこです。小篠さんは……」

あっけにとられている宿の亭主を尻目に、新八郎をうながして廊下を足早やに歩き出す。

「今、土地の医者が手当をしてくれたんだが……」

「私も、診《み》させて頂きます」

「よろしく頼む。なんだか、あんまり手っとり早くすませて行ってしまったので、心配なんだ」

新八郎が障子を開け、岡本みゆきは、

「ごめん下さいまし」

と敷居ぎわに手を突いて、すばやく小篠に近づいた。

夜具の上にうつ伏せになって、小篠は痛みをこらえて唇を嚙みしめていたが、みゆきに気がつくと、小さく声を上げた。

美濃路の垂井宿で熱を出した小太郎の治療をしてくれた女医者が、今、目前にいるのが信じられない様子である。

「傷を拝見させて頂いて、よろしゅうございますか」

小篠に断ってから、新八郎に、

「殿方はそちらに」

と目で次の間を指す。

慌てて新八郎は間の襖《ふすま》を閉めた。

さっきは逆上と不安の余り、小篠が女だということを忘れて、医者の手当につき添っていた。その続きのような気持でのこのこみゆきについて部屋へ入ろうとしたのが、なんとも照れくさい。

治助も同様だったとみえて、小太郎を膝にのせ、面目なげにうつむいている。

「隼様……」

隣室から声がかかった。

「おそれ入りますが、白湯《さゆ》を一杯、下さいませんか」

新八郎は部屋のすみに女中がおいて行った湯呑を一つ取り上げて、そこに鉄瓶の湯を注《つ》いだ。

襖のところへ行って、

「持って来たが……」

と返事をすると、

「もう、お入りになってかまいませんよ」

可笑《おか》しそうな声が応じる。

おそるおそる襖を開け、湯呑をみゆきの傍へ持って行った。

「これでよいのか」

「ありがとう存じます」

受け取って下へおき、自分は荷物の中から薬箱を開けてなにやら白い粉末を紙に移している。

「痛み止めの薬なんです。明日になればぐんと楽になりますが、今夜中、痛んでは小篠さんがたまりませんのでね」

湯呑の湯をふうふうと口で吹いてさましてから、新八郎に、

「小篠さんを、そっと抱き起して下さい」

と命じる。

小篠は上半身を白布で巻かれていた。その上から襦袢《じゅばん》をさっとまとわせてあるのは、みゆきの心遣いのようである。

薬を飲ませ、元のようにうつ伏せに寝かせてから、新八郎が次の間へ戻ると、やがて、みゆきも出て来た。

「よい所へ来てくれた。田舎《いなか》医者の治療でどうなることかと思っていたのだ」

「田舎医者とあなどってはいけません。手当は行き届いていましたよ」

「水だか酒だか、傷口に吹きつけたんだぞ」

「水でも酒でもありません、蘭引《らんびき》です」

「なんだと……」

「お酒を熱して作るのですが……傷口から毒が入らぬようにするのです。阿蘭陀《オランダ》の医者が教えてくれたのですが、こんな山奥の医者が、よく蘭引を知っていたと感心しました」

「しかし、痛み止めの薬はくれなかった」

「あれは、阿蘭陀渡りですから……私は長崎で入手して来ましたけれど、このあたりでは無理です」

治助がいれた茶を旨《うま》そうに飲み、小太郎へいった。

「もう大丈夫。お母様の怪我はそんなにひどいものではありません。二、三日休めば元の元気なお母様に戻りますよ」

小太郎が新八郎を仰ぎ、新八郎は大きくうなずいてみせた。

「この先生は、小太郎の病気も治して下さったお医者様だからな。小太郎の母上も必ずよくなるよ」

漸く小太郎の表情に笑みが戻り、治助がいった。

「それにしても神仏のおかげでございましょうか。かような時に、こちら様に廻《めぐ》り合うとは……」

みゆきが苦笑した。

「私、ずっと、隼様を追って来たのですよ。どうせのことなら、ご一緒に江戸へ帰れたら、道中も安心ですし……」

気がついたように、つけ加えた。

「今夜は小篠さんの部屋へ泊ります。そのように帳場へ話して来ますので……」

いそいそと廊下へ出て行った。

入れかわりに女中が来た。湯があいたという。

「俺はあとにするよ。すまないが小太郎と入って来てくれ」

と治助にいったのは、みゆきが戻って来たら明日からの旅について相談しようと考えたからで、治助は承知して小太郎と出て行った。

明日は小篠を動かせまい、と新八郎は思案した。たしかに小篠の傷は思ったよりずっと浅かった。それでも二、三日とみゆきがいっている。

廊下に足音がして、開けたままの障子の所に男が立った。

「如何《いかが》ですか。小篠どのの御容態は……」

新八郎は忘れものを思い出したような顔になった。

「貴公、今まで、どこに……」

岩田健三郎は女のような笑い声を立てた。

「いやですね。手前がどこかへ逃げ出したとお思いなのですか。逃げもかくれも致しません。この宿へ泊っています。但《ただ》し、部屋は二階ですがね」

「それは……」

辛うじて新八郎は姿勢をたて直した。傷を負った小篠をここへ運び込むに際して馬子などに声をかけ便宜をはかってくれたのが岩田健三郎であった。

「その節は御厄介になった。改めて御礼を申し上げる。かたじけのうござった」

「傷は浅かったでしょう」

「幸いにして……」

「土屋兵介は小篠どのを斬れませんよ。斬る気もなかった。ただ、小篠どのが新八郎どのへむかって走り出したので逆上したのです。いわば、嫉妬に目がくらんだわけで……」

どうも調子がおかしいと思いながら、新八郎は卒直に相手と向い合った。

「ところで、貴公が土屋兵介を撃ったのは敵討《かたきうち》といわれたが……」

健三郎が合点した。

「その通り、兄、岩田章吾を討ち果したのは土屋兵介、それも卑怯な騙《だま》し討ち……」

「実は、身共にはよくわからぬのだが、おのおの方は、手前を押田内匠の敵として追って来たのではなかったのか」

「建前はそうでしょう……」

「建前といわれる……」

「土屋兵介は、新八郎どのが小篠どのに命じて、押田内匠の手文庫の金を盗み出させたと……」

「なんですと……」

新八郎があっけにとられ、健三郎は笑いながら続けた。

「手前は信じていませんでしたが、兄をはじめ、佐々木辰之助、宮本光次郎、山下権《ごん》六《ろく》の四人は土屋兵介の口車にのせられました」

「しかし、押田内匠の家財一切はお上に没収されたのではないのか」

長年にわたり、御所の賄《まかない》料を着服し、御用商人と結託して私腹を肥した罪によってその身は切腹、家財のすべては召し上げられたと聞いている。

「押田はいつも手文庫に五、六百両、時には千両近くの金を貯えていたのですよ。側近の者はみな、それを知っています。土屋兵介が申すには、その金を残らず小篠どのがさらって行って新八郎どのに渡したと……」

「いったい、いつ……」

いいかけて新八郎は気づいた。

夫の死後、小篠が押田家へ行ったのは、新八郎が知る限り、只一度《ただ》であった。

夫の汚名をそそぎたいと、押田内匠の求めに応じて押田家へ行ったものの、そのまま、納屋に押し込められていた小篠を新八郎が救助したのは押田内匠の罪が発覚する前夜のことであった。

「しかし、あの時の小篠どのは何も押田の許から持ち出してはいない。それこそ襦袢一枚の姿で……」

健三郎が大きくうなずいた。

「左様です。それは手前も見届けています」

健三郎の知らせで帰って来た押田内匠に対して、小篠を連れて戻ると宣言した新八郎を主従はただ見送っていた。

「押田の手文庫の金をどさくさにまぎれて持ち出したのは、新八郎どのではありません。無論、小篠どのでもない、手前がそう断言出来るのは、誰あろう、それをやってのけたのが他ならぬ手前だからですよ」

「なんだと……」

「怖い顔をしないで下さい。手前は押田からそれだけの金を受け取る理由があるのです」

廊下を忍びやかな足音が近づいて来て、小篠の寝ている部屋へ入った。低い声で小篠に何か訊《き》いているのは岡本みゆきである。

健三郎もそれに気がついている様子だが、話をやめることはなかった。

「手前の母は岩田禄左衛門《ろくざえもん》、つまり、我々兄弟の父で、押田内匠と同じ御所役人だった男ですが、その後妻でした。手前と兄は母が異るのです。その母はあろうことか、手前が五歳の時、押田家の祝い事の手伝いに行って、押田内匠に凌辱《りょうじょく》され、それが原因で岩田家を離縁になりました。母の実家は五条の扇屋で、母は実家の別宅で肩身せまく暮していました。死にもまさる恥辱に耐えて母が生き抜いたのは、ただ婚家に残して来た手前の成長を見届けるため、我が子の行く末が心配で死ぬにも死ねなかったというのは、手前にもよくわかります。手前にとってはかけがえのない母です。生き抜いてくれたことをどれほど有難く思ったことか……」

流石《さすが》に新八郎は言葉を失った。淡々と話しているが、岩田健三郎の目からは涙が糸を引くように流れ落ちている。

「手前が押田内匠を憎み、岩田家の父に対してもなじめなかった理由は、おわかり頂けますね」

「それはわかる。しかし、そこもとは押田内匠に奉公して居られた……」

何故《なぜ》といいかける新八郎を健三郎が制した。

「兄との約束の故なのです。手前が押田の求めに応じて奉公するなら、実の母の許へ出入りするのを許してやるといわれましてね」

その頃、岩田家は兄弟の父が他界し、兄の章吾は押田内匠に取り入って御所役人の末席にしがみついている状態だったと、健三郎はかすかなさげすみをこめて話した。

「手前はまだ少年、岩田家をとび出したら、その日から路頭に迷います。母には迷惑をかけたくありませんでしたし、正直の所、押田に近づいてみたい気持もあったのです」

小太郎と治助がなにやら話しながら戻って来る声がした。それと一緒に、女中が障子を開けた。晩餉《ばんげ》の膳を運んで来たものである。

健三郎がいった。

「お腹がすきましたね。手前の膳もこちらへ運んでもらいましょう。飯を食いながら、土屋兵介がどうやって我々の仲間を一人ずつ殺したか話してあげますよ」

治助が顔色を変え、新八郎がいった。

「それは困る。子供の前で血なまぐさい話をするのは……」

「そちらのおちびさんは、もう何度も修羅場をみている筈《はず》ですよ。男の子です。今度の出来事をしっかり聞いておくのも、さきざきの役に立つと思いますがね」

まだ、ためらっている新八郎に、あでやかに笑った。

「一緒に飯を食って下さるぐらいのことはあると思いますよ。もし、伊奈川橋で手前が鉄砲を新八郎どのにむけたら……恩きせがましい言い方で申しわけありませんが、手前は新八郎どのの命の恩人でして……」

結局、新八郎が折れた。

健三郎は喜々として、女中が運んで来た自分の膳を、新八郎の隣へ並べてしまう。

けれども、みゆきは小篠の世話をするといい、

「小太郎さんも、こちらへお出《い》でなさい。大人の話に子供が加わる必要はありませんよ」

さっさと自分達の膳を隣の部屋へ持って行った。

健三郎は何もいわなかった。ただ、治助が見ている限り、ひどく満足そうで、まめまめしく新八郎のために茶を注《つ》いでやったりしている。

飯を食いながら話をするといった健三郎だったが、流石《さすが》にものを食べる口も話す口も一緒だから、飯の間は自然に寡黙となり、加えて新八郎が怪我人のことを考えて酒を頼まなかったこともあり、男ばかりの晩餉はすみやかに終った。

女中が膳を片付け、布団を敷くのをみて、新八郎は、健三郎を庭に誘った。

女達や治助を早く休ませてやりたかったからで、この旅籠は中庭に面して広い縁側が張り出しているのを知ったからである。

庭は月光でほの明るかった。

山の秋はもう深くて、虫の声も聞えない。

「身共から、訊《たず》ねてもよいかな」

健三郎がうっとりと月を仰いでいるので、新八郎は自分から口を切った。

いつまでも男二人で月見をしていても始まらないと思ったのと、いくつかの疑問を明らかにしたかった故である。

「土屋兵介の口車に乗って、押田内匠の側近と呼ばれていた方々が手前を追ったのは、押田の敵を討とうと考えたのか、それとも、金に釣られたのか」

「表むきは敵を追うという体裁です。心中は金欲しさといってよいでしょう。なにしろ彼らは押田のおかげでやりたい放題、贅沢三昧《ぜいたくざんまい》をして暮して来たのです。職を失い、京を放逐《ほうちく》されて、貯えは一文もない有様でしたから、隼新八郎を討って一人百両の山分けというのは、大いに心が動いたと思いますよ」

「土屋兵介は何故、彼らにそのような約束をしたのだろうか」

いってみれば、餓狼を道連れにしたようなものである。

「自分一人では、新八郎どのを討てないと承知していたからでしょう」

「どうもわからないな」

たしかに、土屋兵介が京都町奉行所の役人でありながら押田内匠に内通していたのをあばいたのは新八郎であった。その故に、彼は京を逐電《ちくでん》した。捕えられれば処刑されると知っての上である。

「土屋兵介のしていたことは悪事です。奉行所の役人としてあるまじき行為です。新八郎どのを怨《うら》むのは筋違いです」

「怨むのは勝手だが、作り話をしてまで助っ人を頼むというのは……」

「嫉妬ですよ。小篠どのが新八郎どのに心を寄せているのに立腹し、逆上したのです」

「待ちなさい」

まだ二十歳には間のありそうな相手をたしなめた。

「身共と小篠どのには何事もない。疑われるのは心外だ」

「新八郎どのはなんとも思ってお出でではないでしょうが、小篠どのは明らかに新八郎どのに心を許していたと思います。土屋兵介はそれに嫉妬したのです」

「そこもとは嫉妬と気易くいうがなあ」

苦笑して、新八郎は相手の横顔を眺めた。

「土屋兵介と小篠どのは兄妹だよ」

「母親が違うそうですね」

「ほう」

それは初耳であった。

「それにしても、兄妹は兄妹だ」

「兄でも妹に狂うことがあるようですね。土屋兵介はそうなのです」

「まいったな」

月が照らしている庭木立へ視線を向けた。

「俺は非業《ひごう》の死を遂げた伏木要一郎どのの義に感じ、その忘れ形見と御新造の力になりたいと思っただけだ」

「そうかがってほっとしました。新八郎どのが小篠どのに惚《ほ》れていると考えるのは、あまり嬉しいことではありません」

「よしてくれ。俺には江戸に女房が待っているんだ」

話がくだけて来て、新八郎はごく自然にいつものざっくばらんな調子になっていた。

「ところで、俺が最初に多賀神社の近くで見た死体は、小篠どのの話では岩田章吾どのだということだったが……」

健三郎が唇をまげるようにした。

「そうです、一番最初に片付けられたのが、手前の兄です」

「殺《や》ったのは土屋兵介か」

「はい」

「何故……」

「手前が兄に土屋兵介の申していることは嘘だと打ちあけたからです」

兄に命じられて一緒に京を発って、その道中で兄の口から何故、隼新八郎を追って行くのか、土屋兵介の話を打ちあけられた。

「それで、手前は押田の手文庫の金を持ち出したのは自分で、その金は長年、苦労した手前の母に与えたと申しました。新八郎どのが金を取って行く筈がないと……。兄はそれでも土屋の言葉を真《ま》に受けていて、念のため、自分で確かめてみると申し、手前には一足先に行っている宮本光次郎に追いついて同行するように命じ、自分は佐々木辰之助の滞在先へ寄っている土屋兵介を訪ねるといって別れて行きました」

佐々木辰之助は京を放逐されてすぐに自分の遠縁に当る者を頼って守山宿へ行きかくれ住んでいた。

「佐々木辰之助は山下権六と親しかったので、権六が勧めて、土屋兵介は彼を仲間に加えようとしたわけです」

土屋兵介は助っ人達に揃って道中をすると目立つので、ばらばらに京を発ち、美濃路に入るあたりで一つにまとまろうと決めていたという。

「手前は柏原の宿場で宮本どのに追いつき、その夜、宿で兄の話を致しました。宮本どのは暫《しばら》く考えて居られましたが、翌朝、朝餉の時に、自分も土屋兵介の話をなにもかも信じていたわけではない。少々、合点の行かぬ点もあったので、ここから引返し、兄や土屋兵介と会って話をし、場合によっては追手をやめて彦根の知り合いを頼って行くといわれ、手前には、すでに山下権六が先に行き、中津川宿の松葉屋で待ち合せることになっているので、このまま、道中を続けるようにといわれたのです。それで、手前は宮本どのがもう新八郎どのを討つ仲間から下りる気になったのだと気づきましたので、宮本どのとも別れ、一人で中津川へ向ったのです」

旅を重ねて中津川宿の松葉屋へたどりついてみると、すでに四日もそこに滞在していた山下権六は宿場の酌婦達と毎夜のように飲めや歌えやの大さわぎをやっていて、宿賃はもとより、それらの支払いが借金になっている。

「山下権六には何も申しませんでした。いう気にもなれませんでしたし、とにかく、ここで兄の来るのを待とうと思ったのです」

だが、三日後、やって来たのは土屋兵介只一人であった。

「土屋が申しますには、手前の兄も宮本光次郎も佐々木辰之助も、ことごとく、隼新八郎によって斬殺されたと……」

新八郎が低く応じた。

「たしかに、佐々木辰之助は俺が斬った。加納宿の手前で、破落戸どもを従え、小篠どのと小太郎を渡せと斬りかかって来た」

新八郎の説得に一度は従う様子をみせながら不意打をかけ、逆に新八郎に討たれた。

「その顚末《てんまつ》は、たまたま通り合せた加納藩の御用人、松原三郎左衛門どのが見届けられている。しかし、そこもとの兄と宮本光次郎を斬ったのは俺ではない」

最初は鳥居本宿の近くで、次にはその日の午後、小磨針峠を越えたあたりで、各々、斬殺された侍の遺体を見た。土地の者の話では岩田章吾は、深編笠の侍によって討たれたようだといっていたし、また、或いは何のかかわり合いもないのかも知れないが、小磨針峠にたどりついた時、谷間の道を歩いて行く深編笠の侍を望見したと新八郎は話した。

最初の遺体は小篠が首実検をして岩田章吾と知れたが、二人目の名はわからなかった。

「それが、宮本光次郎に違いありません」

実をいうと、自分は小篠からその話を聞いて確信したと健三郎はいった。

「兄と宮本光次郎を斬ったのは、土屋兵介なのです」

「しかし、証拠がなかろう」

「他に二人を殺害する者はありません。それに、小篠どのの話によると、新八郎どのが佐々木辰之助とその手下の男を斬った時、刀が人の血脂で汚れ、その手入れを加納藩の研師《とぎし》に頼まれたとか……土屋兵介の刀は柄糸《つかいと》などにも血の汚れはみられませんでした」

「それなら、土屋が二人を斬ったことにはならないが……」

「土屋が帯していた刀は、宮本光次郎どののものだったのです」

二人を斬って血まみれになった刀を捨て、宮本光次郎の差料《さしりよう》を奪った。

「迂闊《うかつ》でした。土屋兵介の刀に血の汚れはないかとひそかに注意していて、手前は、刀の目貫《めぬき》に気がついたのです」

目貫とはもともと刀が柄からはずれないように中身《なかご》の目釘孔《めくぎあな》を貫通している金具で、普通は竹や木を用い、その上に装飾を目的とする細工がほどこされるようになったので、ただ目貫といえば、もっぱらこの装飾用目貫のことを指すようになっている。

「宮本光次郎の大刀の目貫は金の大黒天の彫刻でした」

「ほう。それは珍らしいな」

「金に糸目をつけず造らせたと、宮本が自慢しているのを聞いたおぼえがありました」

鞘《さや》は蠟色《ろいろ》、造りもごく普通なのでうっかりしていたが、目貫に凝っていた宮本光次郎ならではの刀であった。

「手前が、さりげなく土屋どのの刀の目貫は金無垢《きんむく》ですかと訊いてみると、土屋はひどく狼狽して、ごま化しました。土屋がなに食わぬ顔で中津川の宿に現われた時、腰に差していたのは宮本光次郎の愛刀だったのです」

黙ったまま、新八郎は木立を渡る夜風に耳をすませていた。

いったん仲間にひき入れた男達が、自分の嘘に気がついて袂《たもと》を分《わか》とうとした時、土屋兵介はためらいもなくその二人を殺害した。しかも、一人の佩刀《はいとう》を奪うなぞとは、武士にあるまじき所業に見える。そのあげく、欺《だま》したつもりの相手から逆に兄の敵として鉄砲をむけられ、伊奈川の急流に落下して死んだ。

土屋兵介の生涯はいったい、なんだったのかと思う。父親の跡を継いで京都町奉行所の同心になりながら、欲のために押田内匠に内通し、妹聟《いもうとむこ》を殺した。それも、血を分けた妹に対する邪恋の故だとしたら、あまりにも酷《むご》い。

なんにしても、仲間を三人失った土屋兵介が新八郎に決戦を挑んだのが十曲峠ということかと思い、新八郎は健三郎に訊ねた。

「女はいったい、どこで調達したのか。あれは、土屋の女かそれとも……」

健三郎が、まじまじと新八郎をみつめた。

「美濃路の大久手の宿でのことですか」

一人旅の女と同宿になって、翌暁、その女と小篠の姿が消えていた。

「土屋は別に女なぞ伴ってはいませんでしたよ」

「すると、山下権六の……」

「武家娘に化けて、言葉巧みに小篠どのを誘い出すことの出来るような女が、そう簡単に調達出来るとは思いませんよ」

とんと肩をぶつけるようにして、新八郎の顔を下から眺めた。

「まだ、おわかりにならないんですか」

作り声が女であった。新八郎は途方に暮れて健三郎から視線をはずした。

「そこもとだったのか」

道理でいい女だったといいそうになって言葉を腹の底へ押し込んだ。

成程、この容姿だからこそ、押田内匠が寵童《ちょうどう》として所望したのかといささか忌々《いまいま》しい気がする。

「あの頃は土屋のいうことに半信半疑だったのですよ。土屋が小篠どのをかどわかして来いといいましてね、これは一つの機会だと思いました。小篠どのがこっちへ来れば土屋の目をかすめていろいろと訊けますからね。実際、小篠どのは旅の間に手前の問うことになんでも答えてくれましたよ。新八郎どのが佐々木辰之助を斬った時の様子など、目に浮ぶばかりに……。新八郎様は止むを得ないぎりぎりの時にしか刀をお抜きにならない、最後まで、相手を斬らずにすむ方法はないかと全力を尽す。そういうお方だと小篠どのは申されました」

遅く到着した客だろうか、女中が案内する声が聞えて新八郎は立ち上った。

「そこもとは、これからどうなさる気だ」

「母には一生暮せるほどの金を残して来ましたから、ほとぼりが冷めるまで旅をして、いずれ、母の許へ帰ります。手前は別に京を放逐されたわけではありませんから……」

続いて立ち上った健三郎に、新八郎は頭を下げた。

「そこもとのおかげで助かった。あの時、鉄砲を俺にむけてぶっぱなされたひには、どうしようもなかった。おかげで命拾いをしたよ」

もし、江戸へ立ち寄ることがあったら、声をかけてくれといった。

「江戸見物ぐらいの面倒はみさせてもらうよ」

健三郎が嬉しそうに頭を下げた。

「ありがとう存じます」

新八郎が部屋へ戻って来ると、治助はまだ起きていた。

「どうも、今時の若いお方は何を考えて居られますやら……」

健三郎が敵か味方か、治助はまだ疑っているらしい。

「心配するな。あいつは適当に旅をして母親の許へ帰るそうだ」

もう追手に悩まされることはないと治助を安心させて、新八郎は漸く袴の紐をほどきはじめた。

第五話　信濃路追分節

須原宿は水の豊かな山里であった。

近くに湧水があって、清らかな水が宿場の中を幾筋かの流れになって木曽川へ落ちている。

街道沿いには馬に飲ませるための水舟《みずぶね》が設置されているし、無論、旅人が咽喉《のど》をうるおすための水場もある。

昨夜遅くなってから降り出した雨が午《ひる》近くに上って、須原宿はさわやかな秋の気配の中にあった。

小太郎を伴って宿場の周辺を一巡して定《じょう》勝寺《しょうじ》へ参詣して戻って来ると、治助とみゆきが旅籠の裏庭に洗いものを干していた。

「小篠さんが明日はどうしても発《た》ちたいとおっしゃるのですよ。痛みもないし、もう大丈夫だと……」

みゆきの表情が明るいので、新八郎は内心、ほっとしていた。

「発てそうなのか」

「幸い、熱も出ていませんし、駕籠でなら……」

「無理はさせないほうがいいぞ」

「それは医者が心得て居ります」

冗談らしく笑っているところをみると、小篠の傷の具合はいい方向にむかっているらしい。

「どちらへお出かけでしたの」

「定勝寺まで行って来た」

木曾路では三本の指に数えられる臨済宗の名刹《めいさつ》であった。街道から見上げるような石段の上に素朴な山門が建っている。

「なかなかいい御寺だったよ。あとで治助と行って来るとよい」

小太郎の手をひいて宿の廊下を部屋へ歩いて来ると、昨夜、岩田健三郎と話をした広縁に、当の健三郎がすわっていて、ぼんやり空を眺めている。新八郎をふりむいて十年の知己のような笑顔をみせた。

「そこもとは、出立《しゅったつ》したのではなかったのか」

てっきり、今朝、ここを発ったと思っていた。

「雨でしたからね。それに、手前も昨日まではけっこう気疲れのする旅でしたから、このあたりで一休みしたかったのです」

土屋兵介に同行していた何日かの旅のことだとわかって新八郎は納得し、自分達の部屋へ戻った。

小篠は布団の上に起きていた。

「まだ早いのではないか」

といった新八郎に、

「いえ、みゆき様がこうしているほうがよいとおっしゃいまして……」

と微笑する。たしかに背中の傷であってみれば、ずっとうつ伏せに寝ているのも苦しいに違いない。

「それならよいが、決して無理をしないように。身共への遠慮や気がねは、京を発つ時、申したように、無用と心得て頂きたい」

「ありがとう存じます」

涙ぐみながらも、小篠は微笑してみせた。

「隼様のお心遣い、身にしみて嬉しゅうございます。ただ、信濃の両親もさぞかし、待ちかねていることと思いますので……」

京を発つ折、飛脚に文を托して、小太郎と共に信濃へ行く旨を知らせてあると小篠はいった。

「さぞかし、指折り数えていることかと……」

「それはそうだな」

旅日記を開いてみるまでもなく、京を出てからの行程は新八郎の頭にも刻み込まれている。最初が守山泊り、越知川、番場と来て、垂井《たるい》では小太郎が熱を出して二泊していた。加納宿から御嶽、大久手、中津川、馬籠、妻籠とたどって来てこの須原宿に二泊、すでに十三日が過ぎていて、まだ中仙道の江戸までの距離は七十四里十四丁であった。

普通、中仙道を往来する旅人は京から江戸までを、およそ十五日前後で通行している。

無論、今度の旅は女子供連れではあるし、さまざまの出来事にぶつかっているから止むを得ないと思うものの、江戸では主君、根岸肥前守様をはじめ、家族、朋友が今日か明日かと新八郎の江戸到着を待っている筈《はず》で、よもや、道中の半分にも達しない所で足ぶみ状態にあるとは誰も想像出来ないだろうと思う。

おそらく、小篠もそれに気がついていて、つらい気持なのだろうと、新八郎は不愍《ふびん》に思った。

「まあ、ここまで来て、あせっても仕方がない。医者の意見も聞き、明日の天気次第でまた考えよう」

と新八郎はいったが、翌朝は木曾路へ入って以来の上天気であった。

小篠は出発する気でいるし、その小篠の傷を調べていた岡本みゆきも、

「駕籠でそろそろと行く分には大事ありますまい」

と決断して、一行は朝餉《あさげ》をすますと早速、日ノ木屋を旅立った。

木曾川を下に見下す街道は山路ながらそう歩きにくいこともなく、思いがけず一日休養を取った治助や小太郎の足も軽い。

「そういえば、あのお方はどうしましたかね」

暫《しばら》く歩いてから、みゆきが思い出したようにいったのは、岩田健三郎のことだったが、

「弱年とはいえ、あいつも男だ。心配することはあるまい」

新八郎は笑い捨てながら、心中、一言ぐらい挨拶をして来るべきだったかなと気がとがめていた。成り行きとはいいながら、ともかく、彼は命の恩人なのである。

間もなく、右に小野の滝がみえて、更に行くと木曾随一の景勝といわれる寝覚《ねざ》めの床《とこ》に出た。

木曾川が大きく蛇行《だこう》しているそのあたりは川床に巨岩奇石が聳《そび》え立って、なんとも不思議な光景を創り出している。

寝覚山臨川寺《りんせんじ》という寺から下を眺めていると、旅人を案内して来たらしい若い僧が、その昔、竜宮から帰って来た浦島太郎がこの川の大岩の上で玉手箱を開け、老人になってしまったのだというような話をしている。

「なんで浦島太郎がこんな所で玉手箱を開けたんです。ここは海からよっぽど遠いじゃありませんか」

小声でみゆきが新八郎にささやき、それが聞えたらしく、若い僧がぎょろりとこっちを睨《にら》んだ。

上松宿で昼餉を取り、

「いよいよ、木曾の桟《かけはし》でございますね」

と治助は勇み立ったが、行ってみると、そこは崖に沿って石垣を組み、道を築いてあって、往時のような木組の上をおっかなびっくり渡って行くのとは全く違って危険なことは何もない。

それでも大雨が降って、山の上から水が滝のように流れ落ちると、けっこう怖しい思いをすると駕籠屋にいわれ、治助は石垣のところから谷をのぞいて首をすくめている。

上松宿から二里半ばかりで木曾福島であった。この関所は鉄砲改めと女の旅人に関してはきびしいが、男は手形をみせる必要もない。

中仙道では、この関所がちょうど江戸と京の中間ということになっていた。

「それにしても、凄い所にお関所を作ったものですね」

とみゆきが呟《つぶや》いたように、関所そのものがかなりな急坂の上にあり、その敷地の西側は断崖絶壁で、下は木曾川が音を立てて流れているし、関所の背後は嶮《けわ》しい山が切り立っている。

宿場町は関所をはさんだ東と西に分かれていたが、本陣なぞは西側にかたまっている。

新八郎の一行は福島宿では泊らず、次の宮の越宿まで足をのばした。

小篠が思った以上に元気だったせいだが、流石に秋の山路のことで、宮の越宿の泉屋という旅籠にたどりついた時は、あたりは暗くなっていた。

「今日はよく歩いたな」

小太郎を賞《ほ》めてやって、新八郎は一緒に湯へ連れて行った。このところ、治助とばかりだった小太郎は喜んで、小さな手で新八郎の背中を流してくれる。新八郎にしても、久しぶりにくつろいだ旅であった。

鳥居本で岩田章吾の死体に遭遇して以来、常に追手を意識しての旅であり、三度にわたって決闘を挑まれた。

それがすっかり片付いた今は、京を出た最初よりも、更に落付いた旅になっている。

みゆきは宿に着くと早速、小篠の傷をあらため、塗り薬などを貼《は》りかえなどしていたが、湯から戻って来た新八郎をみると、

「順調に回復なさってお出《い》でですよ」

と嬉しそうに告げた。

たしかに夕餉の席には小篠も並んで箸《はし》を取り、食欲も出て来ている様子なのに、新八郎は安堵《あんど》した。

今日の行程は七里二十八丁、小篠は駕籠とはいえ、かなりきびしかった筈である。

「木曾路もあと一日だな」

飯のあとで新八郎が呟いたのは、明日は五里少々で贄川の関所にたどりつく。関所

を通って次の本山宿《もとやま》へ着く手前、桜沢の先で尾張領と松本領の領地境がある。通常、そこが木曾路と信州路の分れめとされていた。

従って、もし、明日、順調に道がはかどって本山宿で泊るとすれば、木曾路を出て、信州路に入ることになる。

中仙道は信州路が軽井沢宿まで二十六宿、それから上州路に入って七宿で武州であった。

もっとも、武蔵国に入っても本庄《ほんじょう》、深谷《ふかや》、熊《くま》ヶ谷《や》、鴻巣《こうのす》、桶川《おけがわ》、上尾《あげお》、大宮、浦和《うらわ》、蕨《わらび》と九宿を経て漸《ようや》く板橋宿、江戸の玄関口を入ることになるのだが、そうやって胸の内で数えているだけで帰心矢の如き思いになる。

だが、新八郎の旅は中仙道をまっすぐに戻るのではなくて、その手前で小篠母子を送って善光寺へ寄らねばならない。

中仙道のどこから善光寺道へ入るのかを新八郎は考えていた。

江戸からであれば、中仙道の信濃追分から善光寺道へ入って小諸《こもろ》、上田《うえだ》を通るのが一般であるが、上方からとなると、けっこう廻り道となるので、下諏訪の先、長久保まで行って、そこから善光寺道へ入るか、或いは洗馬《せば》宿で中仙道と分れ、松本道を通って、松本から篠《しの》ノ井《い》を抜けて善光寺に達するかで、距離からいえば後者のほうがかなり近い。

宿で訊いてみると、それはもう松本から行ったほうがと勧められた。

「以前は松本からの道がけっこう難儀といわれて居りましたが、この節は宿場も多く出来まして不自由なことは何もございません」

といわれて、新八郎は苦笑した。

「どうも木曾路も初めてなら、善光寺へ行くのも最初でね」

「善光寺様へは御参詣の方が多く、道しるべもよく整ってございます。女子衆《おなご》、お子衆連れでも大事はございますまい」

部屋へ戻って京で調達して来た善光寺道の行程を調べた。

洗馬宿から松本までが四里二十丁、善光寺までとなると、おおよそ二十里余りであった。

女子供連れだと、まず三日はかかる。

それでも、新八郎の気持は晴れやかであった。小篠がいうように、小篠の両親は、どれほど娘と孫の安着を待ちかねていることか。

両親の手に母子を渡して、はじめて伏木要一郎への義が立つ。それが終らない中《うち》は京都の事件が完全に落着したとは思えない新八郎なのでもあった。

だが、翌日、今日からは歩くときめている小篠をいたわりながら奈良井の宿で名産のお六櫛《ろくぐし》の買い物をし、昼餉を食べていると、贄川宿のほうから来た旅人が、やはり昼食《ちゅうじき》のため茶店へ入って来て、ふと、小篠に目を止めた。

小篠のほうはみゆきと買ったばかりのお六櫛を眺めて楽しげに話し込んでいて、男のそぶりに気がつかないが、新八郎が油断なく眺めていると、男は暫く迷っていたが、おそるおそる小篠の傍へ寄って、

「もし、間違ったら勘弁して下せえまし。あなた様は、善光寺の町年寄をしてなさる甚左衛門《じんざえもん》様のお身内ではござらしゃりませねえか」

と訊いた。

小篠が怪訝《けげん》そうに相手をみて、

「甚左衛門と申しますと、新田《しんでん》の名主の甚左衛門のことですやろか」

と答え、男は体を乗り出すようにした。

「お内儀《ないぎ》さんの名が、おはま様だが……」

「それは、わたくしの父と母どすけども……」

男の体が躍り上りそうにみえた。

「そんじゃあ、お前様は京から来た甚左衛門様の娘御様かね」

「へえ、そうどす」

「いやあたまげた」

男が小篠の足許に膝をついた。

「おらは新田の百姓で民吉《たみきち》と申します。旦那の用で中津川まで行くところだけんど、つい、この手前の贄川のお関所で甚左衛門様に会《お》うたでね。甚左衛門様は京から来なさる娘御様をもう何日も関所のところで待ってなさる。おらにもそれらしい姿をみかけたら、声をかけてくれろと……」

たどたどしい男の言葉に新八郎が口をはさんだ。

「すると、小篠どのの父上が、この先の贄川宿でお待ちなされていると申すことか」

いきなり武士が出て来たので、民吉という男は仰天したが、新八郎が同じ問いを繰り返すと、慌てて頭を下げ、合点した。

「それにしても、お前、よく小篠どのの顔がわかったな」

新八郎が訊ね、民吉は大きくうなずいた。

「それはもう、名主様のお内儀さんにそっくりだで……」

小篠が新八郎に寄り添った。

「父が迎えに来ておりますのやろか」

「とにかく行ってみよう」

民吉に少々の銭を握らせ、茶店を出た。

流石に小篠は気もそぞろという表情になっている。

奈良井から贄川まで一里三十丁を小篠が小太郎の手をひき、ともすれば小走りになるのを、新八郎はいじらしい気持で眺めた。

しっかり者で気丈な女だった小篠が、父と聞いただけで小娘のようになっている。

関所は一番に小篠が通った。その小篠の目が陣屋のむこうを探している。そして、小さく、

「お父様……」

と叫んだのが、すぐ背後についていた新八郎の耳に入った。

すでに、その老人は娘と孫をみつけていた。

関所改めをすませた娘が、父へむかって走り、老人もかけ寄った。

「小篠、よく無事で……これが小太郎か」

茫然としている孫は忽《たちま》ち、老人の腕に抱き上げられる。

「お父様、こちらが隼新八郎様、どれほどお世話になったことか……」

小篠が泣き出し、新八郎は老人の前へ出た。

「隼新八郎と申します」

「甚左衛門でござる。娘と孫を……ようこそ……ようこそ、お助け下された。この通りでござる」

地に手を突きそうになる老人を、新八郎は慌てて支えた。その後で、岡本みゆきも治助も、思わず涙ぐんでいる。

甚左衛門は一人ではなかった。彼の後に屈強な若者がひかえている。

「これは女房の甥に当る幸太郎と申しまして、手前の善光寺の店で働いて居ります者、このたび、供をして参りました」

そして甚左衛門は小篠が仰天することをつけ加えた。

「母様も来ているのだよ。本山宿の玉木屋に居る」

贄川宿の一つ先の本山宿の玉木屋という旅籠は小篠の母の家とは親類筋に当ると甚左衛門はいった。

甚左衛門夫婦は娘と孫を迎えるために善光寺を出て、本山宿へ滞在し、ひたすら、甚左衛門が贄川の関所へ通っては、娘の到着を待ちかまえていたという。

夜明け前に本山宿を出て二里の道を歩き、終日、関所の前に立ち、暮れ六ツに関所が閉ってから、また本山宿へ戻るという毎日を送っていたという甚左衛門に小篠は新しい涙を落した。

「何はさておき、皆様御一緒に本山宿まで来て下さりませ。御礼やら御挨拶は改めて……」

甚左衛門の言葉で、新八郎達一行は小篠親子を囲むようにして信州路に入った。

道々、甚左衛門が話すのによると、本山宿へ泊っていたのは、親類で気がねがないのと、贄川宿の旅籠は関所をひかえ混雑することもあって、長逗留の客を好まないし、何日も滞在していると宿役人が事情を訊きにやって来たりして、なにかと厄介という事情があったせいだという。

「それに何と申しましても贄川宿は尾州様の御領内、本山宿は松平丹波守様の御領内で、松本藩には少々、知人もございます」

何かあった時に心強いという配慮もあったらしい。

本山宿の入口には、先に走って幸太郎が知らせたので、小篠の母のおはまが玉木屋の主人、与兵衛夫婦と共に立っていた。

小篠が母にすがりつき、甚左衛門は小太郎を抱き、各々に挨拶しながら玉木屋へ案内した。

本山宿には本陣と脇本陣が一軒ずつあるが玉木屋は脇本陣並みの格式を持つ旅籠で

問屋場《といやば》も兼ねている。

新八郎達が通されたのは、主人夫婦の住居のほうの離れで、隠居所として建てられたばかりの木の香も新しい家であった。

来春早々に長男の嫁取りが決っていて、それを機に老夫婦は家督をゆずって隠居するのだという。

「小篠母子の大恩人のお方に泊って頂けるのは、まことに有難いことでございます」

風呂場も旅籠のほうとは別になっているし、八畳に六畳、それに四畳半の次の間がついている造りに、治助とみゆきは、

「まるでお大名になったみたいでございますよ」

と驚いている。

新八郎達が湯あみをすませたところに、甚左衛門夫婦が改めて礼をいいに来た。

今まで小篠から話を聞いていたらしく、二人共、泣いた顔をしている。

「隼様のおかげで娘聟《むすめむこ》の汚名もそそがれ、また、小篠と小太郎が無事、ここまでたどりつけました。それに致しましても、道中、何度となく危い思いをおさせ申したこと、おわびの言葉もございません」

畳に額をすりつけるのを、新八郎は制した。

「礼はもう充分でござる。小篠どの母子を送って参ったのは、何度も申し上げたように、亡き伏木要一郎どのの志に感じてのこと。しかしながら、止むを得ぬ仕儀とはいえ、土屋兵介どのと敵味方となり、兵介どのが最期を遂げられたこと、まことに残念としか申せぬが……」

土屋兵介は甚左衛門の子であった。母はここにいるおはまではない。

「兵介奴《め》のことは、どうぞ御勘弁下さいまし。あれは手前にとって不肖《ふしょう》の子、と申すより生れながらに不幸な生い立ちでございまして……」

昔の恥をお話し申します、と、甚左衛門は苦しげな表情でいった。

「手前の最初の妻は兵介が三歳の時、或る者とかけおちを致しました。仮にも夫婦の一方が左様な不始末を致しますのは、妻だけの罪ではなく、手前にも至らぬことが多かった故にて、妻だけを責める気持はございません。が、表沙汰になれば何かと厄介、それ故、手前は妻を離別致し、兵介は妻の実家へあずけました」

歳月が経ち、甚左衛門は成長した兵介を手許へひき取った。

「手前は親の代より京都町奉行所の同心を務めて居りまして、たまたま、お上の御用で信濃へ参り、善光寺の近くで風邪をこじらせ、厄介をかけたのが、女房の実家で、こちらは代々、新田の名主の家柄で、善光寺にも旅籠を経営して居りました」

それが縁でおはまと知り合い、夫婦約束が出来、おはまの両親の許しを得て祝言をあげ、おはまを伴って京へ戻った。

そこで誕生したのが小篠であった。

「おはまは兵介も実の子と同じように慈しんでくれまして、何もかもうまく行ったと喜んだのも束の間、五年ばかりで兵介は家を出、前妻の実家へ戻ってしまいました」

実をいうと、その頃、甚左衛門の前妻は、かけおちした相手に死別し、実家へ戻っていて、人を介して兵介を呼び寄せたものであった。

「勝手なことをすると腹を立て、先方に苦情を申しましたが、兵介はすでに十五歳になって居り、おいそれとこちらの申すことをきき入れません。結局、当人の好きにさせるようになりましてございます」

それでも、兵介が十八になった時、甚左衛門は家督を彼にゆずることにし、京都町奉行所へ同心見習に出仕させた。

「おはまとの間には小篠の後に子が生まれませず、男の子は兵介一人とわかって左様に致したのでございます」

やがて、小篠も縁あって伏木要一郎の妻となった。

「ちょうどその頃、女房の実家で跡継ぎの兄が歿《なくな》りまして、おはまの親としては何とか手前に信濃へ来て家を継いでもらえないかと申して参りました」

おはまの実家は善光寺あたりでは名家であり、古くからの大百姓でもあった。

「手前にとっても信濃は忘れ難い土地でございますし、兵介に跡を取らせれば京にいるのも信濃に住むのも同じことと考えまして、夫婦で京を発ち、信濃で女房の実家の跡目を相続致したのでございます」

ただ、小篠のほうは夫婦仲もよく、子にも恵まれ、なんの心配もないと考えていたが、兵介はいくら勧めても妻帯しないのが気にはなっていたという。

「よもや、実の妹によこしまな気持を抱いていたとは夢にも存じませず、まして人の道をふみはずすような裏切り者となり下っていようとは……」

暗然として声を呑《の》んだ。

夕餉の膳が運ばれ、甚左衛門は、

「埒《らち》もない昔話を申し上げました。どうぞ、くつろいで召し上って下さい」

と挨拶し、給仕を女中にまかせて下って行った。

勧められて、久しぶりに少々の酒を飲み、新八郎は土屋兵介について考えていた。

甚左衛門の話を聞いてみると、土屋兵介の生い立ちには複雑なものがあったとわかる。

実の母が夫を裏切り、我が子をおいて男と奔《はし》った。幼い日から母の実家で養育され、あげく父の家へ戻れば、父は間もなく後妻を迎えた。しかも、実母は男と死別して実家に身を寄せ、我が子を呼んでは愚痴をこぼし、夫への怨みつらみを述べていた節がある。

かけおちした自分の非をとりつくろうためにも我が子には父親を悪くいっていただろうし、そうした母親を嫌悪しながらも惹《ひ》かれてしまう兵介の気持もわからぬではない。

そうした前提に立てば、実母に代って父の妻となったおはまの子である小篠に対する屈折した思いも推量出来るが、無論、人として許されることではない。

本山宿の夜はすみやかに更け、離れの灯は消えたが、母屋のほうではいつまでも親子の語らいが続いていた様子であった。

翌朝、みゆきは母屋へ行って小篠の傷の手当をして戻って来た。

「あちらも今日、お発ちになるそうですよ」

次の洗馬宿まで新八郎達に同行し、そこから松本へ向うという。

「小太郎さんが、隼様と別れるのが悲しいと泣いて、小篠さんを困らせていました」

昨夜から大人の話に耳をすませていて、今日、洗馬で新八郎と別れるのを知ってしまったらしい。

朝餉をすませ、出立の支度をして母屋へ行くと、小太郎は大声で泣いていた。

甚左衛門夫婦が途方に暮れている。

「小太郎」

新八郎が声をかけると、小さな体を丸くして新八郎の懐にとび込んで来た。

「よいか、小太郎、わたしのいうことをよく聞くのだ。小太郎のお祖父様《じい》、お祖母様《ばあ》は小太郎と母上の身を案じて、この本山宿まで出迎えに来て下さった。お祖父様は毎日二里の道を歩いて関所に立ち、お前達の来るのを待ち続けられた。お祖母様は宿場の辻に出て、もしや、むこうからお前達の姿が近づいて来はしまいかと目をこらしてお出でなされた。お二人とも、お前達の無事を祈り、逢える日を今日か明日かと待って居られた。小太郎は幸せ者だぞ。こんなやさしいお祖父様とお祖母様がある。男なら泣いている場合ではない。お母様とお祖父様、お祖母様に孝行して、早く大きくなれ。わたしはどこにいても小太郎のことを忘れはしない。いい子に育ってくれているか、強い男になってくれと神仏に手を合せている。別れがつらいといって泣くのは女のすることだ。男ならじっと我慢するものだ。泣かずに笑って手をふって別れる。小太郎にはそれが出来る。何故なら、京からの旅で小太郎は強い、たくましい子に育って来た筈だろう」

泣きじゃくっていた小太郎が新八郎を仰いだ。

「小太郎は女子やない」

「そうだ。女じゃない」

「強い男や」

「ああ、強い子だ」

「小父《おじ》さん」

泣きすぎて、かすれた声でいった。

「その代り、お別れのところまで、手をつないで……」

「いいとも。いつものように手をつないで一緒に行こう」

周囲の者がみなかくれて涙を拭き、新八郎は小太郎の小さな足に草鞋《わらじ》をはかせた。

ぞろぞろと旅立つ者、見送る者がひとかたまりになって外へ出る。

「お世話になり申した」

「なんのおかまいも出来ませんで、どうぞ、御無事で旅をお続け下さいまし」

挨拶をかわして宿場のはずれで、まず与兵衛夫婦と別れた。

洗馬宿までは僅《わず》か三十丁、小太郎は唇を嚙みしめ、新八郎と手をつないで歩いている。

新八郎にしても、胸の中を熱いものが流れていた。

両側から山がせまっている街道は間もなく尾沢川を渡り洗馬の宿場に出た。

その先に石の道標が建っていて、右中仙道、左北国《ほっこく》往還善光寺道と彫《ほ》ってある。

「隼様……」

小篠が万感をこめて新八郎を呼んだ。

「御恩は生涯忘れはいたしまへん。ここでお別れ申します。いついつまでもお達者で……」

「小篠どのも、どうか幸せになって下され。今日までの苦労が報われるような穏やかな日々が訪れられるように……」

甚左衛門夫婦が揃って頭を下げた。

「何も申しません。この通りでございます」

小篠の道中手形や、あずかっていた金などは、すべて昨日の中に、小篠へ渡しておいた。

忘れたことは何もないと思い、新八郎は小太郎の肩を軽く叩いた。

「元気で行けよ。お母様、お祖父様、お祖母様を大事にするのだぞ」

「小父さんも……泣かんと……」

「ああ、泣かない」

「坊も泣かん」

涙一杯の目で、小太郎は手を上げ、新八郎はそれをきっかけに歩き出した。

みゆきも治助も目をまっ赤にして後に続く。

途中で一度ふり返り、道標の所で見送っている小篠達に大きく手を上げて、新八郎はそれきりふりむかなかった。そのかわり、治助とみゆきがかわるがわる、ふりむいては手をふり続けている。

だが、それも暫くで、やがて二つの道は遥かに遠くなり、小篠達の姿はみえなくなった。

「なんですか、急に寂しくなりました」

治助が呟いて、新八郎は別のことをいった。

「さて、今日は塩尻峠を越えねばならないぞ」

木曾路も峠だらけだったが、もっとも高かったのは昨日、奈良井宿の手前で越えた鳥居峠であった。

塩尻峠はそれよりもやや低いが、下諏訪の先の和田峠と並んで険阻な場所とされている。

とはいえ、みゆきは旅馴れているし、治助にしても山越えは木曾路でさんざん経験を積んでいる。

「それにしても、みゆきどのはよくお一人で長崎から旅をして来られましたな」

女の一人旅がないわけではなかろうが、道中、なにかと物騒だし、第一、宿で断られやすい。

「大坂までは船で参りました。長崎会所の方が、大坂から商いで来ていた船に便乗させてもらえるよう頼んでくれまして……」

長崎へやって来る唐船や阿蘭陀《オランダ》船と商売をし、買いつけた品物を積んで帰る船だといった。

「大坂で父の知り合いを訪ねまして、そちらが、たまたま江戸へ行かれる御夫婦の方をみつけてくれましたので一緒に中仙道を参ったのですが、だんだん、お内儀さんの御機嫌が悪くなりましてね」

「大方、御亭主がみゆきどのに親切にするのが気に入らないというのではありませんか」

みゆきが苦笑した。

「隼様は、人情の機微に長《た》けていらっしゃいますのね」

「みゆきどののような若くてきれいな人と道連れになったら、大方の女房は焼餅をやきたくなるだろうと思いますよ」

「お奉行様の内与力様はお口が上手……」

男のように肩をそびやかして忿懣《ふんまん》をぶちまけた。

「痛くもない腹を探られるのは嫌でしたから、途中で別れました」

たしかに宿を取る時は厄介で、少からず嫌な思いをしたという。

「ですから隼様にお目にかかった時は嬉しくて、なんとか江戸まで御一緒したいと一日遅れで垂井宿を発ちましたのに、なかなか追いつけなくて……」

「追いつけなくてよかったのですよ。あの後、けっこう修羅場がありましたからね」

みゆきがうなずいた。

「それは小篠様から聞きました」

「それにしても、どうしてお一人で江戸へ戻られることになったのですか」

長崎へは医学の修業のために行ったと聞いているが、最初から一人だったとは思えない。おそらく、父の弟子か知り合いがやはり長崎へ勉学のために行くのに同行したのではなかったかと新八郎は思ったのだったが、

「実は、私、長崎で夫婦別れをして参りましたの」

それほど重大なことを打ちあけるというふうでもなく話し出した。

「父は夫婦で長崎へやり、修業をさせようとしたのですけれど、夫は医学を学ぶよりも、長崎のお金持の方々に取り入るのが上手で、もともとそういうところのあった人だと思いますけれど、江戸にいた時分は父が嫌っていましたので……でも、目の届かない所へ行ったら本性丸出しになりました」

新八郎の表情をみて、そこで話を打ち切ろうとした。

「とにかく、ついて行けなくなりましたので、別れることにしたのです」

「江戸の元斎先生は、そのことを御存じなのですか」

「知りません」

「文などお出しにならなかった」

「いやなことを書きたくありませんでしたし、書いて書き切れるものでもないので、口で話したほうが早いと思いまして……」

「お連れ合いは、みゆきどのが江戸へ帰られるのに同意されたのですか」

みゆきが首をすくめた。

「黙って船に乗ってしまいましたの。あの人は丸山の廓《くるわ》に居続けでしたから……」

新八郎が黙り込み、みゆきが不安そうに訊《たず》ねた。

「あの、江戸まで御一緒して下さいますでしょうね」

「それは一向にかまいません。むしろ、間違いなく岡本先生のお屋敷までお送りしないことには、手前の主人に叱られます」

みゆきの父、岡本元斎は、新八郎の主君、根岸肥前守のかかりつけの医者であり、古い知己でもあった。

「まあ、嬉しい」

漸く安心したように、みゆきが顔を上げて前方を眺めた。

いつの間にか塩尻峠の下り道になっていて木の間がくれに湖がのぞけていた。

「諏訪湖でございますよ」

二人の話に遠慮して、少々、遅れて歩いていた治助が小手をかざして眺めた。

坂の右、眼下に広く湖面が広がっていた。

冬、この湖が凍りつき、氷の体積が膨張すると湖面にすさまじい響きをたてて氷の突堤が盛り上る。それを、この土地では諏訪明神が下諏訪の女神の許《お》へ通われる「御神渡《みわたり》」と称し、その後は氷上を人が渡っても大丈夫だといい伝えている。

だが、この季節、湖は青く澄み、そのむこうに富士山が眺められる。

この日の泊りは下諏訪であった。

中仙道では唯一の温泉湯だが、旅籠には湯をひいていないので、旅人は問屋場の近くの綿《わた》の湯という共同浴場へ出かけて行く。

新八郎達は丸屋という旅籠へ宿を取り、まだ明るさが残っている中に諏訪大社へ参詣に行ってから綿の湯へ出かけた。

「小太郎さんは、どこまで行きましたかね」

夕餉の際、治助がいい、新八郎は、

「おそらく、松本泊りだろうな」

と答えた。

本山宿から五里少々だが、女子供に老人夫婦なら、そんなところがせいぜいだろうと思う。

「あちらも、きっと隼様のお噂をしていらっしゃいますね」

みゆきが呟き、新八郎はそそくさと飯をかき込んだ。

翌日は和田峠越えであった。

中仙道一番の難所といわれるこの峠は標高も鳥居峠より高く、下諏訪宿から五里十八丁の長丁場を行かねばならない。殊《こと》に冬場は馬も使えず、人足が荷をかついで峠越えをするという。

峠の道幅も狭く六尺ばかりで急坂が多いから人のすれちがいにも気をくばらねばならない。

「まあ、無理をせずゆるゆると越えよう」

と新八郎は治助とみゆきをいたわったが、この日、天気はあまりよくなくて、山上は濃い霧がただよっている。

「はぐれるなよ」

声をかけ合って賽《さい》の河原《かわら》と呼ばれるあたりを通りすぎた。

漸く東餅屋の茶店へたどりついて昼食を取ったが、霧は一向に晴れず、むしろ濃くなる一方であった。無論、提灯《ちょうちん》なしでは歩けない。

治助は早くから旅提灯を出して三人の足許を照らしながらここまで来たが、茶店では新しい蠟燭《ろうそく》を何本も買い足している。

「気をつけて行きなされ。まだ暫くは上り下りが続くで……」

茶店の人に見送られて再び霧の中を進む。

まるで夜になったような暗さの上に、霧が体にまとわりつくようで気味が悪い。

「寒くないか」

気がついて新八郎は治助の背負っていた荷の中から道中合羽を取り出してみゆきに羽織らせた。山中だけにかなり肌寒くなっている。

「隼様はお寒くありませんの」

とみゆきは案じたが、

「身共は馴《な》れていますよ」

笑顔で応じられて、すまなさそうに袖《そで》を通した。

更に十丁ばかり下ったあたりで、先を歩いていた治助が足を止めた。

霧の中に人影が浮んだからで、むこうもこちらに気がついて立ちすくんでいる。

新八郎が治助と代って前へ出た。提灯を高くかかげて進んで行くと、

「隼どのですか」

嬉しそうに呼びかけて来たのは岩田健三郎であった。

「なんだ、おぬしか……」

「なんだとは御挨拶ですね」

それでも健三郎はいそいそと近づいて来た。

みたところ、提灯は持っていない。

「凄い霧で立ち往生していたのです。最前、休息した茶店で下手をすると谷底へ落ち

るとおどかされましてね」

「提灯はどうした」

「持っていません」

「不心得な奴だな」

「助かりました、地獄で仏ですよ」

新八郎に寄り添って歩き出す。

ここで、新八郎も自分の旅提灯に火をともした。

治助はみゆきと、新八郎は健三郎と、二組が前後して道を下る。

新八郎がいささか当惑したのは、健三郎がしっかり新八郎の腕にすがっていることで、たしかに足元は悪いし、暗いから止むを得ないのだろうが、なんとなく若い女を抱いて歩いているような気分になる。

それでも唐沢《からさわ》の茶店で一休みしている中に霧が少しずつ晴れて来た。

風が出て来たので、霧が追い払われて行くためで、その分、昼間の明るさが戻って来る。

「もう、提灯は要らないな」

やれやれといった感じで、新八郎がいい、健三郎は女のようにしなを作って笑っている。

唐沢から一里余りで和田宿へ入った。

あたりはすっかり晴れていて陽まで射している。

次の長久保の宿までは二里であった。

みゆきも治助もまだ歩けるという。

「おぬしはどうする」

健三郎に訊くと、

「手前も、まだ充分、歩けますので……」

ごく自然に新八郎と肩を並べて来る。

なんとなく嫌な予感はあったが、ついて来るなというほどでもなく、結局、一行は四人になって依田《よだ》川沿いの道を行くことになった。

第六話　新八郎女難

長久保宿は西に和田峠、東に笠取峠をひかえているところから、ここへ宿泊する旅人が多く本陣一軒、脇本陣が一軒に、旅籠屋は四十三軒という、けっこうな賑《にぎわ》いをみせていた。

けれども、町そのものは静かな山村で、依田川と上流で一つになっている五十鈴《いすず》川が宿場の近くを流れて居り、宿へ着いて縁側から眺めると川面《かわも》に月が映っていて、なかなかの風情であった。

新八郎主従は岡本みゆきと三人、六畳と三畳の二部屋続きに案内され、岩田健三郎は廊下をへだてたところに落付いた。

「せめて飯は御一緒に願います。一人では味けなくて……」

と健三郎がいい、新八郎はその申し出を断りそびれた。

「あちらは少し、いい気になってはいませんか。何かというと新八郎様に命の恩人だといって……」

みゆきが小さく治助にささやいているのが新八郎の耳にも聞えていたが、さりとて、断る口実もない。

女中が新八郎の部屋へ四人分の膳を運び、健三郎は嬉しそうにやって来た。

和田峠の難所を越えたことだしと新八郎が少々の酒を頼み、四人で祝杯をあげたのだったが、その後、健三郎はつきっきりで新八郎に酌をした。

「俺は手酌で勝手にやるから、そこもとも好きなようにするがよい」

と新八郎がいっても、

「いや、酒はさしつさされつして飲むのが一番旨いものですよ」

なぞといって新八郎の盃に注《つ》ぎ、自分も酌をしてもらって飲んでいる。治助はあまり飲《い》ける口ではないし、みゆきは最初の一杯だけで、二、三度、新八郎に酌をしようとしたが、その都度、健三郎に先を越されて、結局、やめてしまった。

徳利が五本空いて、新八郎はまだ飲み足りなそうな健三郎を無視して飯にした。

女中が膳を片付け、夜具の用意をする段になって、漸《ようや》く健三郎は自分の部屋へ引き取ったが、その際、

「明日は何刻に発ちますか」

と訊《き》く。

「まあ六ツ半（午前七時頃）には出立したいが……」

と答えると、早速、女中に朝餉の時刻を六ツ前にといいつけている。

「あの方は、明日もついて来る気ですね」

庭へ向った縁側へ出て空を仰いでいる新八郎にみゆきがいった。

「旦那様」

治助までがいい出した。

「決して御油断なさいませんように。あいつは何を考えているか知れたものではございません」

事情はともかく、押田内匠の寵童《ちょうどう》だった男である。新八郎は苦笑した。

「俺も気を許しているわけではないが、あいつも江戸へ向っているという以上、犬を追っ払うようなわけにも行かぬだろう」

中天に月が出ていた。

「明日、通って行く望月《もちづき》宿はその昔、朝廷に献上する名馬を育てた牧《まき》のあったところだそうだ。毎年八月十五夜に献上馬を主上がごらんになったとか、京にいた時、鷹司家の御家来衆から聞いたよ」

実をいうと、その話を新八郎にしたのは、鷹司輔平《すけひら》の遠縁に当る雪路であったが、新八郎は故意にその名を口に出さなかった。治助やみゆきの前で、仮にも御所仕えの女官である雪路の名を出すのは、なんとなくためらわれたからだったが、こうして月をみていると如何《いか》にも公卿の姫らしく優雅で愛らしく、しかも少々、おてんばなところがあった雪路がなつかしく思い出される。

そんな新八郎を、みゆきは見るような見ないようなそぶりでそっと歎息《ためいき》をついていた。

翌朝、新八郎達が朝餉をすませて宿の玄関へ出て行くと、そこに健三郎が待っていた。

当然のように一緒に宿を出る。

「野暮なことをお訊ねしますが、みゆきどのは新八郎どのと一つ部屋にお泊りなのですか」

歩きながら訊かれて、みゆきは絶句した。で、新八郎が慌てて、

「馬鹿なことをいうものではない。俺は治助と同じ部屋、みゆきどのは次の間だ」

と答えると、

「やはり左様でしたか。いや、安心しました」

屈託のない顔で笑っている。

「全く、なにを考えているのやら……」

治助が聞えよがしに舌打ちしたが、健三郎はまるで歯牙にかけず、新八郎に続いて今にも肩を並べそうな恰好である。

「旦那様」

治助はわざと新八郎に近づいて話しかけた。

「今日はどのあたりまで参れましょうか」

「そうだな。まず追分か、沓掛《くつかけ》か。いずれにしても明日は上州路へ入れるだろう」

信濃路は今日で大方が終る。

笠取峠からは浅間山が見えた。

他の山々とくらべて山全体が赤茶けて見えるのは天明《てんめい》の大爆発のせいであった。

「俺がお仕えしている殿様は、浅間山が噴火した時、幕府《おかみ》に命ぜられて調査に出かけられたのだよ。その時、お供をしたのが俺の父でね。俺は後年、その話を父から聞いたのだが、それはすさまじいものだったそうだ」

天明三年七月七日、浅間山の東南あづま山の頂が噴火し、泥湯と硫黄の火炎が忽ち麓の村々を焼き尽し、押し流した。

「麓の村々は残らず家はおろか人馬までが死に、安中《あんなか》城下は泥沙《でいさ》で埋まっていたと聞いた」

治助もいった。

「あの年は江戸でも六月の末あたりから地鳴りが続きまして、七月七日、八日の両日は朝から赤い雲が空をおおって居りました。白い砂のようなものが軒場へ吹きつけて来たのを憶えて居ります」

なんにしても、今から二十年以上も昔のことであった。

その当時、泥流に流されて何年も凶作が続いたという田畑もすでに復旧している筈である。

「どのように村々が甦《よみがえ》っているか、江戸へ戻ったら、殿様にお話し申そう」

瞼の中に根岸肥前守の温顔が浮び上り、新八郎の足は自然に速くなった。

その日は、追分泊りであった。

追分宿は中仙道と北国街道の分れ道で、東から善光寺へ行く旅人はここで北国街道へ入る。

「ぼつぼつ、小太郎さんも善光寺のお家へ着いていますかね」

治助が呟き、新八郎もうなずいた。

小太郎のこともだが、今日、追分原からの浅間山の偉容は強く新八郎の印象に残っている。

笠取峠から眺めた時、赤茶色にみえた山が、今日は茜《あかね》色から紫色に変化して夕闇に消えて行った。裾野は今でも不毛の地といわれていて、落葉松《からまつ》だけが山麓に緑を添えているというが、それも今の季節は葉が落ちて、木は山肌の色にとけ込んでいる。

しかし、中仙道沿いの村々は平和な明け暮れが戻っていた。

田には稲が刈り入れ時を迎えているし、畑で働く人々の表情も明るかった。

ただ、浅間山の頂には今日も薄く煙が立ち上っている。

翌朝は碓氷峠越えであった。

中仙道で最も高いのは和田峠で、碓氷峠は塩尻峠よりも高く、鳥居峠とほぼ同じといわれているが、坂本側が尾根伝いに険しい坂を上り下りしなければならず、傾斜が急なことも重なって、人によってはここを中仙道の峠の中、一番の難所に挙げている。

あいにくなことに、天気はあまりよくなかった。

雲が厚く、峠の上のほうに垂れこめている。

軽井沢宿で足ごしらえを直し、雨支度をした。まだ昼餉《ひるげ》には早かったが、念のために餅などを買い、各々が懐中にした。

最初の登りはおよそ十八丁、上へ行くほど急勾配《きゅうこうばい》になって、旅馴れている筈のみゆきが息を切らし、新八郎はみゆきの杖の先を摑《つか》んでひき上げながら進んだ。山道は狭く人一人がやっとよじ登れるほどになっている。

治助が後に続き、健三郎はかなり遅れ、それでも時々、こちらへ声をかけながらついて来た。

雨こそ降り出していないが、薄く霧が漂って来て、その中からひょっこり下って来る旅人の姿が現われたりして、双方が道をゆずり合ってすれ違うのも峠越えならではの風情であった。

漸く、峠の頂上に着いた。そこに熊野社が祭られて居り、西から来るとここまでが信州路、これより先は上州路に入る。

山の上だけあって気温はかなり低かった。

汗が忽ちひいて行く。

「寒いですね」

漸くたどりついた健三郎が身慄《みぶる》いしてみせた。

「手前は東海道も通ったことはありませんが、箱根越えとここでは、どちらが険阻ですか」

健三郎に訊かれて、新八郎はみゆきと治助をふりむいた。

「どっちもどっちだと思うが……」

治助を従えて、京上りの途次、箱根を越えたのは春の終りであった。今度の旅が始まったばかりの時で、よもやこれほどの長旅になろうとは夢にも考えていなかった。

「まだ、この先、坂本までがどんなか越えてみなければわかりませんでしょう」

みゆきが何を愚かな質問をといった口調で健三郎を眺め、健三郎はつんとそっぽをむいた。

一休みして下り道に入った。

天明の噴火の名残りか、大きな石や岩がごろごろと行く手をふさいでいて、うっかり足をかけると崩れ落ちるので歩きにくいことおびただしい。

みゆきがよろめき、新八郎が支えた。下りだと思って気を抜くととんだことになりかねない。治助が尻餅をつき、その背後で健三郎がすべった。

新八郎はみゆきを抱えるようにして一歩一歩、慎重に下って行く。

最初、体を固くしていたみゆきが、やがて遠慮がちながら力を抜いて、その分、新八郎は楽になった。

道はまた登りになって、子持山稲荷の社の前へ出る。霧は一向に晴れないが、濃くなりもせずで、逆から来た旅人に訊いてみると、坂本宿では晴れていたという。

中山という所まで来て休み茶屋へ入った。

碓氷峠はもう終っているのだが、それに続いて子持山、刎石《はねいし》山と連っているので、その分、いくつもの峠を廻って行くことになる。

坂本宿へ出たのは午をかなり廻っていた。

里数からいえば、追分宿から五里少々なのである。

餅は途中で食べてしまったので、坂本宿では蕎麦《そば》などを注文して休息した。

この先の横川の関所は、下りの旅人は女だけに手形の改めがある。

「みゆきどのは、手形をどうなされたのか」

気がついて新八郎が訊ねたのは、みゆきが長崎から夫に無断で江戸へ帰って来たのを知っていたからだったが、

「大坂で知り合いが用意してくれましたの。たしかなものですから御心配なく」

とみゆきは笑っている。

「江戸のお父上は、みゆきどのが江戸へ戻られる途中なことを御存じないのではありませんか」

夫と共に長崎で暮しているとばかり思って居られるのではないかと訊ねた新八郎にみゆきは考え込んだ。

「むこうが父に知らせたかも……」

妻の出奔《しゆつぽん》に気がついて、とりあえず江戸の実家へ早飛脚をたてたかどうか。

「みゆきどのを追って、江戸へ戻って来られるということは考えられませんか」

みゆきがかぶりを振った。

「思いもよらないことでございますけれど……」

しかし、あり得ないとは思えなかった。

恩師の娘と夫婦になって長崎へ遊学しながら、学問はそっちのけで身分のある者や大商人にとり入り、遊所通いをしている夫に愛想をつかした妻が、自分に無断で江戸へ帰ったとわかれば、夫たる者、少からず慌てるのではないかと新八郎は推量している。

みゆきの父の岡本元斎は江戸では名の知れた医者であった。

大名や旗本を出入り先に持ち、根岸肥前守とも昵懇の仲である。みゆきの口から長崎での行状が暴露されれば、おそらく元斎は娘と縁を切らせるだろうし、師弟の間柄も断絶するに違いない。

そうなれば、みゆきの夫は立身出世どころか、医者としてやって行くのさえ困難になりかねない。

ふと、新八郎は不吉なものを感じた。

「そう申せば、身共はまだみゆきどののおつれあいの姓名を承って居らなかったが……」

今までは聞くまでもないと思って訊ねなかった。

「酒井道之助と申します」

その名前を口にするのも不快そうな返事であった。

「立ち入ったことを伺うようだが、酒井どのの御性格は如何《いか》ようでありましたか。例えば、万事におおまかで、ものにこだわらないとか……」

みゆきが苦笑した。

「その反対でございます。執着心が強く、つまらぬことをいつまでも根に持って……そのくせ身勝手で、うぬぼれやで……」

たて続けに酒井道之助への悪口がみゆきの口から吐き出されて、新八郎は手を上げて制した。

「随分ときついいわれようですな」

「でも、本当でございます。あの人は父の前で猫をかぶっていたのです。父も私も愚かでその本性が見抜けませんでした。それに、あの頃の私は夫婦というものを馬鹿にして、誰に嫁ごうとたいして変りはないと高をくっていたようなところがございました。思えば、お恥かしいことでございますが……」

どんなに学んでも女は医者になれないと、みゆきは訴えた。子供の時から門前の小僧でごく自然に医薬のことを知り、やがて深い関心を持つようになって、ひそかに父の書物を読んだ。

「父は気がついて居りましたけれど、何も申しませんでした。いつの間にか父の手伝いをするようになり、父が患者を診《み》る時、傍にいて容態について父が申すのを聞いて居りました。手当の方法も、薬の処方もおのずと学びました。うぬぼれかも知れませんが、父の内弟子よりも父の役に立っていたと思います」

それでも内弟子達は次々に一人前の医者となって巣立って行ったが、みゆきには代診さえ許されなかった。

「女は嫁に行くしか生きる道がないとわかって、私、もう、どうでもよくなってしまったのです」

それがとんでもない間違いだと知ったのは祝言《しゅうげん》を挙げてからだった、と流石にみゆきは恥かしげにうつむいてしまった。

横川の関所を通り、松井田宿へ向けて歩き続けながら、新八郎はこれまで小篠母子にかまけていてあまり気にかけなかった、みゆきの立場について改めて思案しはじめた。

みゆき自身は夫に愛想をつかして、父の許へ帰るとあっさり考えているが、酒井道之助という男がみゆきのいうような自己中心的で執念深い性格だとすると、あっさり離縁に応じるかどうか。

仮に酒井道之助がみゆきの後を追って長崎から江戸へ向ったとすると、彼は今、どのあたりまで行っただろうかと思う。

みゆきは海路、大坂へ来て知人を頼り中仙道をたどっているが、おそらく酒井道之助は陸路だろう。長崎から江戸までの道中は幾通りかの道があるが、最短距離を行くとすればおよそ三百六十余里、多分、東海道をえらんだ可能性が強い。それも、場合によっては駕籠《かご》や馬を使ってかなりな強行軍で旅程をこなしているとすると、ぼつぼつ江戸へ着く頃かも知れない。みゆきのほうは夫が追って来るとは考えもしないで、のんびり道中のあちこちで病人を診てやったりした様子である。

厄介なのは、みゆきが江戸の父親に何も知らせていない点で、下手をすると酒井道之助が岡本元斎に対して自分の都合のよいことばかりを告げ、その結果、みゆきの立場が悪くなる怖れがある。

新八郎のほうは考えれば考えるほど不安の材料が増えているというのに、当事者であるみゆきはそれほど心配らしい顔もせず、ひたすら杖にすがって歩き続けている。

もっとも、今日の碓氷峠越えで疲れ果て、ものを考える気力もなくなっているのかもと気がついて、新八郎は今夜の泊りを松井田宿に決めた。

宿場は閑散としていた。十四軒ある旅籠はどこもすいているようで、新八郎が草鞋《わらじ》を脱いだ松屋という宿は脇本陣に次ぐ立派な店がまえだというのに、どうやら客は半分も入っていない様子であった。

その代り少々、余分の旅籠代を払ってくれれば三部屋続きを使えるとわかって新八郎はそれでよいと返事をした。

通されたのは六畳に四畳半が二つ続いている部屋で、これなら治助もみゆきも一部屋ずつが使えるのでくつろいで眠れるだろうという新八郎の思いやりであった。部屋と部屋の仕切りは襖《ふすま》だが、それでも一部屋に屏風《びょうぶ》をたて廻して寝るよりも遥かに気を遣わずにすむ。

健三郎はどうなったかと思っていると、こちらは廊下をへだてた部屋があてがわれたようで、女中の話だと、ひどく疲れているので飯もそこそこに寝たいといっているという。

「中仙道は山道だらけだったが、ここまで来ればもう大事ない。もう一息で江戸だぞ」

晩飼の時に新八郎がみゆきと治助をいたわり、二人共、流石にほっとした表情をみせた。

新八郎にしても、くたびれていた。

漸く上州路へ入ったという安心感もあって、布団に入るとすぐに瞼が重くなった。

どのくらい眠ったのか、何かの気配で新八郎は突然、目ざめた。布団の裾のほうに誰かが座っているのが枕行燈《まくらあんどん》の灯でぼんやりと浮んでみえた時、新八郎はすでにはね起きて布団の脇においた大刀を摑《つか》んでいた。

「私でございます」

かすかな声と共に、顔がこちらを向いて新八郎は体の力が抜けた。

「みゆきどの」

返事のない相手に続けて訊いた。

「如何《いかが》なされた」

何者かがみゆきの部屋に夜這《よば》いでもかけて逃げ出して来たのかと思った。それとも、体の具合が悪くなったのか。

「申しわけございません」

布団ににじり寄って、みゆきが答えた。

「どうしても自分の気持をおさえ切れなくなりました」

「なに」

「お許し下さいまし」

いきなりみゆきがすがりついて来て、新八郎はあっけにとられた。

「お慕い申して居りました」

声が熱かった。しなやかな手が新八郎に廻され、柔かい肌が重なって来て、はじめて新八郎は狼狽《ろうばい》した。

「待ちなさい」

慌てて押し戻すとその反動か、逆にみゆきの体が腕の中におさまってしまった。

「落付きなさい」

隣の部屋の治助が目をさますのではないかと耳をすませたが、安らかな鼾《いびき》が聞えている。

「お願い……一度だけ……」

みゆきの肩から襦袢《じゅばん》がすべり落ちて新八郎は必死になった。

「身共には、妻がある……」

「かまいません。一度だけでよろしいのです」

そういうわけには行かないのだと叫び出したいのをこらえて、無言で逃げた。それでも取りすがって来るのを本能的に抱きしめたいと思いながら、みゆきの耳許に口をつけた。

「みゆきどのらしくもない。武士はどのように好きでも、溺《おぼ》れるわけには参らぬのです」

布団を脱けて廊下へ出た。

庭に面した濡れ縁には月光が冷たく光っている。僅《わず》かの間、新八郎は途方に暮れていた。

言葉では拒絶したものの、体には火がついている。

みゆきが人妻であり、主君、根岸肥前守の侍医に当る人の娘でなければ、自分は何をしたかわからないと思う。

気がついたのは、碓氷峠越えで、止むを得なかったとはいえ、みゆきを抱くようにして長い山道を上り下りしたことであった。

あれがみゆきの心の底にあった情感を誘い出したのかと我ながら面映《おもはゆ》い。

ことりと小さな音がして、みゆきが部屋を出て来た。縁側にすわって手を突いた。

「愚かでございました。お許し下さい」

「いや愚かは身共でござる。野暮な男とお笑い下さい」

「おやすみなさいませ。もう、お妨げは致しません」

みゆきの姿が消えて暫《しばら》くしてから新八郎は部屋へ戻った。

自分がひどく間抜けな男にみえて仕方がなかった。女が自分から男の寝間に忍んで来たのであった。もう少し、粋な振舞が出来なかったものかと自分に腹が立つ。

それ以上に、明日から江戸までの道中が、重い気分であった。結局、新八郎は朝まで寝そびれた。

みゆきと顔を合せたのは朝餉の時である。いつもと同じようにと努力しながら、そしてみゆきも同様につとめているらしいのだが、どうしてもぎくしゃくする。治助は昨夜の騒動に気がついているのかいないのか、これも口数が少い。

宿を出る時、みゆきが遠慮がちに駕籠を頼んでいるのを耳にして、新八郎はやれやれと思った。昨夜、ああいうことがあって、新八郎と肩を並べて歩くのはつらいのだろうと思う。

新八郎が先頭を行き、治助はなんとなく駕籠について歩いていた。

健三郎が追いついて来たのは安中宿を過ぎてからであった。どうやら今朝は寝過したらしい。

「昨夜、みゆきどのと同衾《どうきん》したでしょう」

だしぬけにいわれて、新八郎は絶句した。

「手前は口惜しくて、昨夜はなかなか眠れず、そのせいで今朝は起きられませんでした」

唇を嚙《か》みしめている。

「何を馬鹿な。夢でもみたのだろう」

「夢だといい抜けるのですか」

「俺は、みゆきどのに何もしていないよ」

「そんな筈はない」

「悪推量は勝手だが、俺は天地神明に誓ってやましいところはない」

それだけは本当なので、新八郎は胸を張った。

「では、みゆきどのが駕籠に乗っているのは何故ですか」

「なんだと……」

「一晩中、新八郎どのに可愛がられて、今日は歩けないのではありませんか」

「驚いたなあ。あんたの頭の中はどうなっているのだ」

「では、どうして駕籠を……」

「碓氷峠越えで少々、足を痛めたそうだ。大事をとって駕籠にした。それだけだ」

健三郎は疑わしそうな表情だったが、ずんずん歩いている新八郎に並ぶようにして横顔を眺めた。

「本当に何もなかったのですね」

「当り前だ。俺は主君に顔むけの出来ないことだけはしない」

「成程」

急に元気な声になった。

「そう聞いて安心しました」

ちらと背後の駕籠をふりむいた。

「みゆきどのの御亭主のことですが、けっこう厄介ではないかと思いますよ」

外で如才ない人間ほど体面を重んじ、見栄を張ると健三郎はいった。

「手前はそういう男を何人か知っていますが、名誉を傷つけられたと思うと徹底して報復をします」

　黙っている新八郎にかまわず続けた。

「酒井道之助という人物はけっこう出世欲の強い人のようですね。おそらく、みゆきどのと夫婦になったのも、義父の地位を利用して立身するのが目的と思われます。そういう人物がみゆきどのに逃げられたらどうすると思いますか」

　新八郎は苦笑した。

「さて、どうするかな」

「手前が酒井道之助なら、女房を追いかけて行って翻意させるか、それが無理なら口をふさぎます」

「そんなことをしたら、元斎先生が黙っては居られまい」

「黙らせますよ」

「なんだと……」

「親も殺します」

「身の破滅ではないか」

「出世だけが生甲斐というような男は、挫折すると自暴自棄になりやすいものです」

「わかったようなことをいう」

健三郎の矛先をかわしたものの、新八郎は昨日、漠然と自分が抱いた不安を、健三郎にいい当てられたような気がした。

安中から三十丁で板鼻《いたはな》宿であった。

ここは以前、駒込の岡っ引、藤助《とうすけ》と来たことがあった。主君の命で、この地の祭礼の最中に起った殺人事件の解明のためだったが、その折の真犯人の行方は未だに知れない。

藤助はどうしているだろうかと、新八郎は岡っ引には珍らしく一本気で誠実な男の顔を瞼に浮べた。同時に彼に手札を与えている定廻《じようまわ》り同心、大久保源太がなつかしい。

昼食は高崎の宿場ですませた。

松平右京亮《うきようのすけ》八万二千石の城下町で、ここから江戸まで二十六里十五丁であった。

ちなみに高崎宿は繁華な町にしては旅籠は十五軒のみで、本陣も脇本陣もない。隣の板鼻宿が本陣一、脇本陣一、旅籠五十四軒というのにくらべても異例にみえるのだが、それは単に城下町の固苦しさを旅人が避けたせいか、それとも、かつて高崎城に幽閉されていた三代将軍家光の弟、忠長がこの地で自刃したという禍々《まがまが》しい歴史の故か、新八郎にしても知る由《よし》もない。

高崎から一里十九丁で倉ヶ野《くらがの》宿であった。

この宿場は朝廷からの日光例幣使《れいへいし》が通る、いわゆる日光例幣使街道の起点に当り、本陣の先に中仙道との分れ道があって、そこに常夜燈と道標が建っている。

また、宿場沿いに流れている烏《からす》川はその下流が利根川とつながっていて、江戸まで米や煙草、木材などを運ぶ舟が盛んに往復している。

江戸までの水路はおよそ五十里、下り舟は三、四日で江戸へ着くが、帰りは流れを逆上るので十七、八日もかかるという。

治助が立ち止って下り舟を眺め、新八郎は治助も亦、自分と同じく江戸へ帰心矢の如しなのだろうと思いやった。

中仙道の上州路は七宿、江戸のほうから新町《しんまち》、倉ヶ野、高崎、板鼻、安中、松井田、坂本で、それまでの美濃路、木曾路、信濃路とくらべて殆んど山らしい山がなく平坦な道で、その分、一日の行程がはかどった。

殊《こと》にみゆきを駕籠に乗せていることもあって、この日は本庄《ほんじょう》へ入ってもまだ陽があった。

すでに十里余りを来ているので、新八郎は少々、迷ったが、駕籠屋は威勢がよくて酒手をはずんでもらえれば次の深谷《ふかや》まで二里二十五丁、なんとか夜になる前にたどりつけるという。

みゆきと治助に相談すると、

「新八郎様がよろしければ、深谷まで参りましょう」

という返事で、その日の中《うち》に武州へ入った。

健三郎は別にして、新八郎はもとより、みゆきも治助も江戸が近づくにつれ、気持もひたすら江戸へ急ぎたがっている。

「貴公は本庄で泊ってもよいのだぞ」

と新八郎はいったが、健三郎はむっとした顔でついて来る。

しかし、夕映えの中に越えて来た信州の浅間山をはじめ、上州の赤城山《あかぎさん》、榛名山《はるなさん》、それに日光の山々が眺められて旅情はひとしおであった。

深谷宿へ入ったときには夜になっていた。

宿場はひどく賑やかで、脂粉をほどこし、派手な衣裳をまとった女が目立つ。

「成程、それで新八郎どのは深谷泊りにされたのですか」

聞えよがしに健三郎が呟き、新八郎は気がついた。

深谷宿は東海道の吉田宿などと同じく飯盛女と称する遊女の多いことで知られていたのであった。

新八郎は八十軒からある旅籠を避け、脇本陣に宿をとった。

この季節、中仙道を往来する大名行列は全くないので、前もって知らせておかなくとも、新八郎が所持している根岸肥前守からの御用旅の切手を示せば、まず文句なしに泊めてくれる。但し、治助は勿論だが、みゆきも健三郎も新八郎の供人という体裁になってしまったので、新八郎とみゆきは各々一部屋、治助と健三郎は二人一緒という形になった。

「飯がすんだら、俺の部屋へ布団を運べ」

と新八郎は治助にいったが、治助は笑ってかぶりを振っている。

「それより、旦那様こそお気をつけ下さい」

と治助がいったのを、新八郎は治助が昨夜のことに気がついていて、今夜もみゆきが新八郎の部屋へ忍んで来るのではないかと揶揄《やゆ》したものかと思った。

が、いくらなんでも二度とみゆきが昨夜のような行動に出るとは思えなかった。

考えてみるまでもなく、昨夜のみゆきの精神状態はまともではなかった。その理由は新八郎から夫、酒井道之助についてさまざまの質問を受けたせいに違いない。

しっかりしているようでも、世間知らずの娘であった。夫に愛想をつかして父の許へ帰るに際して、あまり深くも考えなかったことどもを、新八郎に指摘されて俄《にわ》かに不安になったので、その動揺と肉体の衝動が彼女を異常にしたと推量すれば、今日のみゆきの打ちひしがれた様子がよくわかる。

どれほど、みゆきが昨夜の自分の振舞を恥じ、消え入りたいほどの想いでいるかを思いやって、新八郎はみゆきが不愍になった。

といって、新八郎の立場ではどうすることも出来ない。

京からの旅で小篠という女に持ち続けて来た想いと同じような情感をみゆきに持ちはじめて、新八郎はつくづく女の道づれは剣呑《けんのん》だと内心、苦笑した。

ともあれ、江戸まではあと二日の旅であった。

昨夜の寝不足もあって、新八郎は忽ち熟睡した。それでも大刀をしっかり抱いていたのは、自分への戒しめの為であった。

夢の中で新八郎は花の香を感じていた。

馥郁《ふくいく》として鼻腔《びこう》をくすぐられる。

なんの花だろうと思った。日頃から花の名前はいくら教えられても憶えない。

けれども、この花の香には記憶があった。それほど珍らしい花ではない。

すきま風を頬に感じて夢から醒めた。

障子のむこうが白くなっていて、廊下へ出るところの一枚の障子がほんの僅かあいていた。すきま風はそこから流れ込んで来る。

枕許に花の香がした。

起き上ってみると、一枝の花がおいてあった。白菊である。

寝ている間に誰かがおいて行ったに違いない。花の枝を手に取って、新八郎が連想したのはみゆきであった。

自分がぐっすり眠りこけている間に、みゆきが忍んで来て、この花をおいて立ち去ったのかと思う。それなら、花はみゆきの詫び心に違いない。

悪い気分ではなく、新八郎は白菊の一枝を床の間においた。

朝餉の時にみゆきはいつものように挨拶したが、花のことは何もいわない。新八郎のほうも野暮な穿鑿《せんさく》はしなかった。

「いよいよ、お江戸が近くなりました」

宿を発つ時、治助が誰にともなく呟いた。

残るところ、日本橋まで十八里二十五丁、今日、その半分を行くとして泊りは上尾《あげお》か、もう少々足を伸ばせば大宮で、遅くとも明日の夕方には江戸へ入る。

みゆきは今日も駕籠であった。江戸が近づくにつれて不安も強くなっているのだろうと新八郎は思いやった。

朝からよく晴れてさわやかな日和であった。

歩き出してすぐ、健三郎が来た。驚いたのは手に白菊の枝を持っていたことである。

「新八郎どのは薄情ですね」

怨めしげな目で健三郎がいった。

「せめて、花ぐらい持っていて下さい」

新八郎の腹中で肝っ玉がでんぐり返った。

「その花は……」

「手前が昨夜、持って行ったのです」

茫然としている新八郎へ情なさそうにつけ加えた。

「刀を抱いて寝ていられては、流石のわたしも、手も足も出せませんでした」

本当に野暮な人だと呟いて、白菊の枝を道端の小川へ投げた。そのまま、すたすたと前を歩いて行く。

なんとなく、小川の流れに白菊がただよって行くのを見送っていて、新八郎はその先に立っていた男がとび上り、こっちへ向って韋駄天《いだてん》走りに走り寄って来るのを目に留めた。

「藤助じゃないか」

「旦那、隼の旦那……やっぱり旦那だあ」

汗か涙か、くしゃくしゃになった顔が目の前に来て、新八郎は胸が熱くなった。

「藤助、いったい、どうしたんだ。ひょっとして御用の筋か」

旅支度でありながら、藤助の腰には御用の十手がしっかりはさみ込まれている。

「とんでもねえことが起りましたんで……旦那も御存じの岡本元斎先生……」

「元斎先生がどうした」

「あちらのお聟さんが長崎から帰って来て、元斎先生の内弟子さんを二人も突き殺して逃げたんです」

「待て。藤助。殺されたのは元斎先生ではないのだな」

「へえ、先生は御無事でございます」

みゆきが駕籠から下りて来た。

「藤助どの、お久しゅうございます」

「お嬢様、こいつは驚いた。隼の旦那と御一緒でございましたか」

挨拶をしてから、新八郎にいった。

「岡本先生には御近所のよしみで何かとお世話になって居ります」

成程、岡本元斎の家は白山下で駒込の藤助の住居とはそう遠くない。

そこへ、もう一人、なつかしい顔が近づいて来た。

「これは奇遇ですな。いや、よい所へ帰って来られましたよ」

「大竹金吾、貴様が来ていたのか」

「岡本先生もお見えになっています。どれほど、みゆきどののことを御案じなされて居られるか。早速、御案内しましょう」

大竹金吾が先に立ち、藤助とこもごもに話したところによると、事件が起ったのは三日前のこと。

「元斎先生は御奉行に御相談事があって御番所へ来て居られました。その留守に白山下のお宅にみゆきどのの御亭主、酒井道之助どのが長崎から今、戻ったところだと申されて訪ねて来られたそうです」

玄関へ出た栗田雅二郎という門弟が、先生はお留守ですが、どうぞお通り下さいというと、

「酒井どのは、みゆきどのが帰っているだろう、かくすとためにならぬぞと大声をあげたようです。栗田どのは何のことかわからず、大声を聞いて奥から出て来た御門弟の宮川左内どのも酒井どののいう意味がわからず、みゆきどのは帰って居られません

と返事をし、押問答になった。とたんに酒井どのが刀を抜かれ、あっという間に栗田どのを刺し、制止しようとした宮川どのにも深傷《ふかで》を負わせました」

騒ぎに女中や下男がかけつけて来、治療に来ていた数人の患者が近所へ知らせに走り、酒井道之助は慌てて逃げ出した。

御番所に知らせが来て、岡本元斎に大久保源太、大竹金吾の二人がつき添って、まっしぐらに白山下へかけつけて行き、まだ息のあった宮川左内から事情を聞いた。

「宮川どのは、岡本先生の必死の手当の甲斐もなく、間もなく息をひき取られました」

みゆきが悲痛な叫びを上げた。

「私のせいです。私の無分別の故に……」

大竹金吾がみゆきから目を逸《そ》らし、新八郎にいった。

「隼どのは、みゆきどのが江戸へ帰られる事情を御存じですか」

新八郎が重くうなずき、大竹金吾が続けた。

「岡本先生はみゆきどのが江戸へ帰って来られるのを御存じでした。みゆきどのを長崎から大坂まで船に乗せて来られた方から書状で知らせがおありだったとか。それ故、酒井どのが何故、無法な凶刃《きょうじん》をふるわれたかも、すぐお気づきになったようです」

岡本元斎は二人の弟子のために酒井道之助を捕えねばあいすまぬといい、また、中仙道を戻って来るみゆきの身辺も不安に思って、酒井道之助を追う決心をした。

「御奉行は手前と藤助に、岡本先生のお供をし、酒井を召捕るようお命じになったのです」

最初、みゆきの手前、酒井道之助どのと敬称で呼んでいたのを、最後に酒井と呼び捨てにしたのは、許し難い殺人者という意識をはっきりさせるためのようであった。

熊谷の宿場の小松屋という茶店に岡本元斎はいた。傍には武士が三人、いずれももののしい表情で大竹金吾達を迎えた。

「大竹どの、大変なことがわかりましたぞ」

といいかけた元斎はその後から入って来たみゆきをみて、言葉を失った。

「お父様」

かすれた声でみゆきが呼び、元斎は大きく肩で息をついた。

「無事であったか」

「はい、隼様と御一緒に、ここまで……」

「かたじけない。隼どの」

新八郎が前へ出て、訊ねた。

「先生、大変なこととは……」

元斎の代りに三人いた武士の一人が進み出た。

「火急の折なれば御挨拶抜きにて申し上げます。手前は宮川左内の弟、助三郎と申し、松平下総守《しもうさのかみ》様に御奉公して居ります」

松平下総守は忍《おし》藩主で熊谷は忍領内に入る。宮川助三郎に同行しているのは、いずれも忍藩士であった。

彼らが江戸からの知らせを受け、直ちに主君の許しを得て中仙道の宿場改めを行ったのは、下手人の酒井道之助が凶行後、板橋宿から中仙道へ逃亡した可能性が強かったからである。

その最中に桶川の宿役人より昨夜、藍《あい》問屋大坂屋吉兵衛宅に賊が押し込み、主人と番頭を殺傷して金を強奪しようとしたところ、奉公人にさわがれて逃亡したという届け出があった。

「奇怪なのは、その賊が表を開けさせる時、忍藩士宮川左内と名乗ったと申すのです」

宮川左内は父親が忍藩の侍医で、医学修業のため江戸の岡本元斎に弟子入りして居り、三日前、酒井道之助によって殺害されている。

宮川左内の名をかたって押込みを働いたのは、まず酒井道之助に間違いないという

ので、忍藩士達は街道沿いを探索中とのことであった。

「これから鴻巣《こうのす》側へ立ち戻り、探索致そうと存じます」

宮川助三郎の言葉に大竹金吾が答えた。

「我らも同行仕《つかまつ》る」

桶川宿は熊谷からおよそ六里、桶川と熊谷の間に鴻巣宿がある。

元斎とみゆきを駕籠に乗せ、その左右に藤助と治助がつき、新八郎と大竹金吾が先

を行く。

「御奉行のお手配がすみやかだったのですよ」

凶行のあったその日の中に宮川左内の仕える忍藩と、栗田雅二郎の父親が奉公して

いる川越藩へ知らせが走り、江戸四宿《ししゆく》へ手配が廻った。

「お手柄は藤助でしてね。板橋宿で草鞋と笠を求めた男の袖と袴《はかま》にはっきりした血痕

がついていたと茶店の親父が知らせ、その男の人相風体が酒井道之助と一致したので

す」

直ちに藤助は中仙道を先行し、宿場ごとに聞き込みを続けて、酒井道之助が中仙道

を逃亡して行ったことを明らかにした。

「岡本先生と手前が大宮で藤助に追いつきまして追跡を続けたのですが、上尾宿から先は奴の足取りが掴めず、それでも中仙道を参ったのですが……」

途中で酒井道之助を追い越してしまったことになる。

「酒井は金に困っているようだな」

おそらく長崎から江戸までの道中で路銀を使い果してしまったのだろうと新八郎はいった。

「桶川の藍問屋を襲って人殺しはしても金を奪うことは失敗している。とすると、まだ騒動を起すな」

事件を起せば彼の所在は明らかになるが、

「これ以上、人を傷つけるのは何としても防がねばと思います」

犠牲になっているのは、何のかかわり合いもない人々である。

「だから、わたしがいったでしょう。自棄《やけ》になった者は怖しいと……」

いきなり近くで声がして大竹金吾が新八郎に訊いた。

「この方は、隼どののお伴《つ》れですか」

新八郎は苦笑して、健三郎を眺めた。

「我々について来ないほうがいい。危険に巻き込まれるぞ」

「いざとなったら、新八郎どのが守って下さるでしょう」

「あいにく、そんな暇はない」

「相変らず薄情ですね」

健三郎がしなを作り、大竹金吾が眉をひそめた。

「いったい、どういう道づれですか」

「好きで道づれになったわけじゃない。江戸へ帰ったら、ゆっくり話すよ」

鴻巣宿は忍藩士が固めていた。

「たった今、浅間神社の近くで下手人らしい男をみつけたと知らせが入りましたが、我々は万一に備えて、宿場改めを続けています」

宮川助三郎が報告を受け、一行は浅間神社へ向った。

鴻巣宿は雛人形の産地として知られて居り、大きな人形店が軒を並べている。

藍問屋が襲われた桶川宿とは一里三十丁しか離れていないので、白昼、再び、下手人が押し込んで来ないとは限らない。すでに町には伝達があったらしく、商店の前には宿場役人や土地の顔役などが警戒に出ている。

浅間神社は鴻巣宿を出てすぐであった。

心得て、先に様子をみに行っていた藤助が忍藩士らしい武士と共に街道へ出て来た。

「とんでもねえことになって居ります」

酒井道之助と思われる男が浅間神社の境内の掛小屋へ逃げ込み、芝居の一座の娘を人質にして、たてこもっているという。

浅間神社は秋祭のまっ最中であった。

境内は殺人者が芝居小屋にいると知って、逃げようとする者、野次馬根性で見物に行こうとする者でごった返している。

案内されて、その掛小屋に近づいて、新八郎は驚いた。

色とりどりの幟《のぼり》が小屋の周囲に並んでいるのだが、そこに坂東《ばんどう》彦二郎、坂東あやめなどと書いた文字が秋風にはためいている。

「この小屋は、坂東彦二郎の一座なのか」

新八郎がいい、大竹金吾が、

「御存じですか」

と問うた。

「多分、美濃路で会ったあの一座だと思うが……」

琵琶峠の東への下り道に、烏帽子《えぼし》岩と母衣《ほろ》岩と名付けられた巨岩がある。そこで新八郎に声をかけて来たのが坂東あやめであった。

「湯島の勘兵衛の娘の小かんの踊りの弟子だとか」

その縁で大久手の宿まで一緒に来た。

「あの一座が、こんな所で小屋掛けしていたとは……」

小屋のほうから藤助が戻って来た。

「いけませんや。坂東あやめって娘手踊りの女役者を小脇において、命を助けたかったら百両と馬一頭用意しろとわめいています」

やはり、坂東あやめが人質になっているのかと新八郎がうなずいた時、岡本元斎が傍に来た。

小屋にたてこもっているのは、酒井道之助に相違ないと情なさそうに告げた。

「なんと申すか、人相がまるで変ってしもうて居る。あれは正気を失《うしの》うて居る者の顔じゃ」

もともと小心者が出世街道を順調に登ってすっかりいい気分になっていた。それが突然、挫折して逆上し、正常心をなくした。

「栗田や宮川を殺したのも、彼らがみゆきをかくして自分に会わせまいとしていると思い込んだ故であろうが、気の小さい男が人を殺せば、まずまともではいられなくなる。とんだことになってしもうた」

唇を慄わせている元斎をなだめ、神官達に頼んで社務所へ岡本父娘を案内してもらってから、新八郎と大竹金吾は小屋の裏手へ廻った。小屋は忍藩士によって出入口が包囲されているが、人質をとられているので今のところ身動きが出来ない状態であった。

新八郎がのぞいてみると、舞台の中央に目を血走らせ、抜き身を手にした男が、横に坂東あやめをひきすえ、少し離れたところにいる坂東彦二郎に大声で何か命じている。

その彦二郎が小屋の外へ出て来た。

待機していた宿役人や忍藩の武士達に酒井道之助の要求を伝えている。

「まず、小屋の周辺からお役人様を追い払えとのことで。馬は鞍《くら》をおいて小屋の裏に用意すること。また、女一人に百両を持たせて舞台まで来させろと」

彦二郎は青白い顔に脂汗を浮べて訴えていたが、新八郎の姿をみつけると救われたような表情になった。

「隼様、あやめが、とんだことになりましてございます」

「わかっている。あやめは何としてでも助け出す」

「あいつは正気ではございません。少しでも近づこうとすると刀をあやめに突きつけて……」

大竹金吾がいった。

「馬や役人達のことはどうとでもなりますが、百両を持って行く女をどうするか」

「俺が化けてみようか」

それしかないと新八郎はいったのだったが、

「無理ですよ、新八郎どのでは。第一、そんな大女では、忽ちばれてしまいます」

いつの間にそこへ来ていたのか健三郎が笑っている。

「しかし、他に手だてが……」

「新八郎どのが恩に着るといって下さるなら、手前がやりましょう」

「おぬしが……」

しかし、健三郎の女装には、見事にひっかかったおぼえがある。

舞台の様子をうかがっていた役者達が悲鳴を上げた。酒井道之助が刀をふり廻している らしい。

「だいぶ、苛立っているようですから、急いだほうがよいでしょう」

健三郎にいわれて、新八郎は遂に頭を下げた。

「頼む。力を貸してくれ。終生、恩に着る」

「いいですとも」

健三郎の身支度は早かった。役者が持って来た百姓女の衣裳をあっという間に身につけ、手拭で頬かむりをする。

百両の金は岡本元斎がさし出した。何かの場合の用意に持参して来たという。

鞍をおいた馬が裏口に曳《ひ》かれて来た時には新八郎達と打ち合せのすんだ健三郎が、

「では、一芝居やってみましょう」

百両の包を手に舞台へ向った。

「驚きましたね。まるで女ではありませんか」

と大竹金吾が呟いたように、健三郎は化粧もしていないのに、体つきまで女そのものになっている。

おずおずと近づいて金包みをさし出す健三郎を酒井道之助はじろじろ眺めていたが、男にはみえなかったらしい。金包みをひったくって懐中にし、それからあやめに刀を突きつけたまま、

「馬のところまでお前が先に行け」

健三郎に顎をしゃくった。健三郎は神妙に、しかもがたがた慄えてみせながら酒井道之助を裏口につれて行く。

物かげに身をひそめ、新八郎も大竹金吾も固唾《かたず》を飲んでみつめている。

「女を馬に乗せろ」

酒井道之助の声が聞えた。

「役者さんは勘弁してくれるのではねえかね」

のんびりと健三郎が応じる。

「追手がないか確かめてからのことだ。それまでは人質だ」

「そうかね」

あやめに健三郎が近づいた。

「役者さん、馬に乗れるかね」

自分の足を示した。

「ここへ足を、かけろ」

あやめがちらと健三郎をみ、素直に前鞍にしがみつくのを、後から健三郎が押し上げた。

とみた瞬間、健三郎の体が宙を躍って馬上にまたがる。

「隼どの、あとはよろしく」

あっという間に馬腹を蹴って境内を出て行った。

酒井道之助は二歩とは追えなかった。

「兄の敵《かたき》」

叫びざまにとび出して来た宮川助三郎が肩先深く斬り下げ、返す刀でその胸を貫いたからで、新八郎も大竹金吾も制する暇がなかった。酒井道之助は血飛沫《ちしぶき》をあげて大地にころがった。


翌朝、新八郎は大竹金吾、治助と共に中仙道を江戸へ向った。

岡本元斎とみゆきは忍藩で行われる宮川左内の野辺送りに加わるために、宮川助三郎達と忍の城下へ向い、岩田健三郎は、

「彦二郎親方が下座《げざ》の三味線ひきが不足しているから使ってくれるというのですよ、その中、舞台にも出してみようといっていますから、江戸の舞台に立つ時は必ず知らせますので、見物に来て下さい。なにしろ、手前は新八郎どのの恩人ですからね」

いつ、坂東彦二郎とそんな話が出来たものか、とぼけた顔で別れを告げた。

その健三郎と坂東彦二郎一座に見送られて街道を行く新八郎の足は軽かった。

「藤助は夜明け前に発って行きました。大久保源太に隼どのが今日、江戸に着かれると知らせるそうですから……」

定廻りの大久保源太は直ちに御番所へ出かけて根岸肥前守の用人に報告するに違いなく、

「御奉行はどれほどお喜びになることでしょう。新八はまだか、まだ帰らぬかと一日に少くとも七、八回はおっしゃってお出でしたからね」

用人は新八郎の妻の郁江にも知らせるだろうし、勿論、御奉行のお傍にいるお鯉も胸をなで下して、新八郎の帰りを喜ぶだろうと大竹金吾はいう。

「藤助は湯島の鬼勘にも御注進に行くでしょうし、小かん姐さんなんぞは板橋宿まで出迎えに来るかも知れませんよ」

空はどこまでも青かった。

街道沿いの田では稲刈が始まっている。

江戸を京へ向けて旅立ったのは、まだ青田の頃だったと思い、新八郎は治助をふりむいた。

「長い、長い旅だったなあ」

笑ってうなずき返す治助の足も、つい速くなっている。